D0866313

Literatura española siglo XIX

Sección: Clásicos

Antonio Alcalá Galiano:

Literatura española siglo XIX

De Moratín a Rivas

Traducción, introducción y notas de Vicente Llorens

El Libro de Bolsillo
Alianza Editorial
Madrid

Título original: *Literature of the nineteenth Century: Spain*

Calle Milán, 38; ☎200 0045
Depósito legal: M. 4.138 - 1969
Grabado: G. Dore
Diseño cubierta: Daniel Gil
Impreso en España por Ediciones Castilla, S. A.
Calle Maestro Alonso, 21, Madrid

Introducción

El siguiente panorama de las letras españolas apareció en cinco números de la revista londinense The Athenaeum, *entre abril y junio de 1834, bajo el título de* Literature of the nineteenth Century: Spain. *Su autor, Antonio Alcalá Galiano, o como allí se dice Don A. Galiano.*

The Athenaeum, *el periódico semanal literario más prestigioso de la Inglaterra victoriana, cuya vida se prolongó hasta bien entrado el siglo presente, fue fundado en 1828.*

Desde el primer momento colaboraron en la publicación varios jóvenes procedentes de un grupo estudiantil de la Universidad de Cambridge, conocido con el nombre de Los Apóstoles, del que formaron parte, entre otras figuras menos destacadas, Tennyson, Sterling, Maurice, Trench y Kemble. Dos de ellos, John Sterling y Frederick D. Maurice, dirigieron algún tiempo el periódico.

Los Apóstoles de Cambridge eran liberales en política, con idealismo tan ferviente como dispuesto a la acción. Uno de los emigrados españoles que había entonces en

Londres, el general Torrijos, tuvo estrecha relación con ellos, y cuando creyó llegado el momento de actuar, varios de los Apóstoles le ayudaron en las expediciones de los Pirineos de 1830 o en Gibraltar. Robert Boyd, primo de Sterling, murió arcabuceado en Málaga en 1831 junto a Torrijos y otros emigrados liberales.

The Athenaeum *tuvo al principio vida precaria; pero en 1830 Charles W. Dilke se puso al frente de la publicación y logró darle nuevo impulso, hasta colocarla en la ventajosa posición que mantuvo a lo largo del siglo XIX.*

Entre otras, Dilke tuvo la iniciativa de publicar una serie de artículos sobre las literaturas contemporáneas de diversos países extranjeros: Francia, Persia, España, Polonia, Alemania, Norteamérica. Empresa considerable que si no llegó a dar un cuadro completo de la literatura universal, costó a la revista en poco tiempo cerca de tres mil libras.

La tarea se encomendó a bien autorizados críticos de cada nación. Jules Janin tuvo a su cargo la literatura francesa; para la alemana se pensó al principio en Heine. La española, que fue la primera en aparecer, corrió a cargo de Alcalá Galiano.

La elección estaba justificada. Es verdad que desde su fundación el semanario contaba entre sus redactores con el Dr. Mateo Seoane, refugiado español, que además de informaciones políticas había publicado numerosas noticias y reseñas de libros. Pero Seoane, médico famoso después en la España de Isabel II, era en literatura un simple aficionado. Pablo Mendíbil, otro español emigrado que había colaborado en revistas inglesas, acababa de fallecer. El más conocido e importante de los escritores españoles en inglés seguía siendo Blanco White. Pero el nombre de Blanco, entregado una vez más por entonces a la controversia religiosa, bastaba por sí solo para suscitar animadversión en medios muy diversos. Por otra parte, tras larga expatriación, sus conocimientos de la vida literaria española apenas pasaban de los primeros años del siglo.

Quedaba Alcalá Galiano, cuyo historial político corría parejas desde su primera juventud con el interés por la literatura. Ya en 1805 había fundado en Cádiz, con su amigo José Joaquín de Mora una academia literaria, siguiendo los pasos de la establecida años antes en Sevilla por otros jóvenes escritores.

Durante los años de la guerra contra Napoleón no dejó de cultivar las letras. Más tarde terció en la polémica calderoniana entre Boehl de Faber y Mora, en favor de este último, pero ganándose el respeto del primero por su conocimiento de Shakespeare y de la literatura inglesa en general.

Si en el período constitucional de 1820 a 1823, a cuya instauración contribuyó no poco, brilló principalmente como orador, durante los años de emigración en Inglaterra, aunque no dejó de escribir sobre política, dedicó más tiempo a la literatura. Sus artículos sobre las novelas inglesas de Valentín Llanos y de Telesforo de Trueba en la Westminster Review *y sobre Jovellanos en la* Foreing Quarterly Review, *aparte de otros que hoy ignoramos, le dieron a conocer como crítico literario. Cuando a poco de fundarse la Universidad de Londres, llamada después University College, se estableció la enseñanza de la lengua y literatura españolas, no pudo sorprender que el nombramiento de profesor recayera en Alcalá Galiano.*

La revolución de Julio de 1830 en París lo llevó otra vez al campo de la política activa, mas por poco tiempo. Fracasados los intentos de los emigrados liberales, Alcalá Galiano se recluyó en Tours, y en contacto diario con su amigo Angel de Saavedra, las letras ocuparon otra vez sus ocios políticos. Allí fue donde recibió el encargo de redactar los artículos sobre literatura española que aparecieron en The Athenaeum. *Compuestos entre el verano y el otoño de 1833, debió enviarlos al periódico a fines del mismo año, cuando salía de las prensas de París* El moro expósito *de Saavedra, acompañado de un prólogo suyo.*

El panorama que aquí se ofrece de las letras españolas

entre 1800 y 1833, peca ciertamente de incompleto y desigual. De los escritores emigrados en Francia, afrancesados o liberales, Alcalá Galiano sabía poco o los recordaba mal. No hay mención de un Pablo de Jérica o de un Pérez de Camino, sin que valga de excusa su insignificancia, cuando figuran otros no más importantes que ellos. También están ausentes algunos escritores que empezaron a ser conocidos poco antes de 1833, el caso, digamos, de Larra o Estébanez Calderón; lo que parece más comprensible por escribir Alcalá Galiano fuera de España. Pero ocurre, como muestran las notas al texto, que al referirse a escritores emigrados como él, olvida a veces precisamente lo que publicaron en Inglaterra; así por ejemplo con Blanco White y Flórez Estrada.

Alcalá Galiano escribía de memoria. La suya, como es sabido, era excepcional —y hay muestras de ello en el presente texto—, pero no infalible. Aunque a veces se trata de erratas, nada sorprendentes en una publicación extranjera, también hay errores suyos: a José Mamerto Gómez Hermosilla, cuyo nombre de pila no es fácilmente olvidable, le llama Francisco, a don Manuel Silvela Mariano; el lugar de nacimiento de Mendíbil está equivocado. Estos y otros descuidos, a propósito de Jovellanos, de Llorente, de Martínez de la Rosa, revelan la prisa o la falta de documentación con que fueron redactados los artículos del Athenaeum.

Sin embargo, el siguiente panorama compensa con no pocas novedades las lagunas y deficiencias apuntadas. Alcalá Galiano nos habla de escritores que apenas figuran en las historias literarias, o de obras que, aunque conocidas y celebradas en su tiempo, están hoy olvidadas por completo. Hasta el punto de que su identificación resulta a veces difícil, en parte por tratarse de producciones anónimas o publicadas por el autor con nombre supuesto.

Conviene recordar que esa época ha sido poco o mal estudiada y que una parte nada desdeñable de la producción literaria anda dispersa en publicaciones periódicas españolas hoy raras, o extranjeras difícilmente accesibles.

n España. Por otro lado, el período reseñado por Alcalá ;aliano coincide casi enteramente con la etapa de transi-ión entre la vieja y la nueva España, entre la monarquía bsoluta y el régimen constitucional. Transición violen-a, agitada, de luchas intestinas e invasiones externas, de ersecuciones políticas y frecuentes emigraciones. Epoca n que la mayoría de los escritores españoles, como seña-a Alcalá Galiano, hubieron de tomar partido, viéndose xpuestos en consecuencia a las vicisitudes de la historia olítica. De los sesenta escritores, aproximadamente, de ue trata el presente panorama, más de cuarenta cono-ieron la cárcel o el destierro, o las dos cosas, y no pocos cabaron sus días en el extranjero.

Se comprende, pues, que en tales circunstancias hubie-a escritores que ocultasen su nombre de una u otra ma-era. Pero hay más, y esta es sin duda una de las apor-aciones más instructivas de este breve panorama litera-io: a través de sus páginas se descubre aquí o allá la resencia de alguna obra no simplemente olvidada con el aso del tiempo, sino por voluntad del propio autor.)cultación deliberada por parte de quienes queriendo so-revivir sin riesgo en una situación nueva, trataban de orrar lo que escribieron en la anterior.

En ningún caso, por consiguiente, parecerá más justi-icado que en éste colocar la obra literaria en el contexto le su marco histórico. Es lo que hace Alcalá Galiano, y sa es otra de sus novedades. Basta comparar el suyo con nsayos anteriores más o menos semejantes, como la in-roducción de Quintana a su antología de la poesía cas-ellana, o el discurso de Moratín sobre el teatro del si-glo XVIII, para advertir inmediatamente que el sentido istórico, ausente o accidental en aquéllos, adquiere aquí in relieve mucho más acusado. En cierto modo puede lecirse que con este trabajo, aunque escrito en inglés, Alcalá Galiano inicia entre los españoles la historia lite-raria propiamente dicha.

Claro está que la orientación histórica del autor no es casual, ni depende tampoco de las especiales característi-

cas del período que le ocupa. Forma parte, más bien, d las nuevas ideas literarias que, en contraste con las profe sadas por él anteriormente, adoptó durante su emigración en Inglaterra, y que va reiterando una y otra vez a lo largo de su exposición. Esas ideas corresponden en su conjunto, más o menos rigurosamente, a las difundida en su tiempo por la crítica romántica.

Quizá en vista de lo que se dice en algunas página del texto acerca de la escuela poética inglesa, libre a mismo tiempo del rigor clasicista y de los excesos ro mánticos, podrá parecer que Alcalá Galiano represent —como se ha pretendido— cierta especie de eclec ticismo o término medio literario. No hay tal. Lo qu ocurre es que Alcalá Galiano sigue la opinión corrient entonces en Inglaterra de considerar el romanticismo, en la teoría y en la práctica, como una denominación europe continental ajena a las letras británicas. Así lo creía e propio Byron. Hasta fines del siglo XIX la crítica ingle sa no situó a los que había llamado poetas laquistas satánicos dentro del movimiento romántico europeo. E cierto, sin embargo, que Alcalá Galiano no mostró entu siasmo por el romanticismo que había triunfado definiti vamente en Francia poco antes de redactar estos artícu los. En realidad, por parecerle un movimiento afectado poco espontáneo, más anticlásico que otra cosa, en con traste con la naturalidad de los ingleses, que como Mr Jourdain hablaban románticamente sin saberlo o sin de cirlo.

Ahora bien, la literatura española de su tiempo se ha bía formado casi totalmente ateniéndose a los principio del neoclasicismo. Juzgarla ahora por primera vez segúr nuevas y muy opuestas ideas literarias tenía que produci forzosamente efectos negativos. Si la crítica clasicista ha bía desvalorizado el antiguo teatro español o la poesí barroca, la nueva crítica no podía ser menos severa con Moratín o Meléndez Valdés.

Cierto que en el presente caso las preferencias perso nales de Alcalá Galiano, o su animadversión, por motivo olíticos a veces, entran también en juego. Pero en conunto nuestro crítico se atiene mal que bien, aunque siemre combativamente, a los principios literarios que susenta.

Así, por ejemplo, aceptando la diferenciación establecida por A. W. Schlegel entre unidad orgánica y mecánia, reprochará a Martínez de la Rosa que siga considerando la obra poética como una composición por el estilo e la construcción de buques o de casas.

A Juan Nicasio Gallego, como verá el lector, le niega l alto puesto que otros le concedían, por creer que la apacidad de expresar la pasión o los secretos de la naturaleza y del corazón humano constituyen al verdadero oeta más que la facilidad verbal. El espíritu está por encima de la forma.

Frente al concepto de imitación, tan diversamente enendido desde el Renacimiento, los románticos insistieron n la originalidad y libertad de creación. La literatura spañola clasicista, según Alcalá Galiano, carece de originalidad no sólo por imitar modelos franceses principalmente, sino por someterse a unos principios que además e erróneos se presentan en forma de reglas y leyes literarias, como algo codificado e institucional, que hasta por so mismo tienen que ser un impedimento para el atrevido vuelo poético. Tal el caso de Moratín, supeditándose las llamadas unidades o limitando su arte dramático a a simple ilustración de una lección moral.

Originalidad quiere decir también espontaneidad. El ntusiasmo que se produce en un momento dado porue así lo determinan los estatutos literarios a que obedece el poeta, tiene que sonar, como ocurre en ocasiones on Meléndez Valdés, irremediablemente a falso.

El clasicismo del siglo XVIII en su propósito de enontrar para la literatura y las artes principios generales emejantes a los que la ciencia había descubierto como undamento del orden natural del universo, pudo dar ase universal a la obra literaria, mas no nacional. El ronanticismo acabó con las «leyes eternas e infalibles del

gusto» al admitir el principio de la nacionalidad, segú
el cual las características peculiares de cada país informa
y dan validez propia a sus creaciones artísticas.

La soberanía popular de la Revolución francesa y e
Volksgeist de la filosofía alemana, no tan lejanos y opue
tos entre sí como parece, conducían por uno u otro ca
mino a la exaltación del pueblo, es decir, de lo naciona
Así pues, toda creación propia enraizada en la nación que
daba legitimada estéticamente. El clasicismo, en cambi
era destructor de la nacionalidad por fundarse en el prin
cipio de la imitación, e imponer en consecuencia modelo
literarios antiguos o modernos a naciones cuya tradició
y espíritu mal podían responder a módulos ajenos.

Por lo que se refiere a España la aplicación de esto
nuevos principios significaba condenar una parte cons
derable de la literatura española, no sólo la imitación d
la tragedia francesa en el siglo XVIII, sino la poesí
amatoria del Renacimiento, seguidora fiel de la italian
Libres en cambio de toda escuela, quedaban como pro
ducciones naturales y nacionales españolas el romancer
la novela picaresca y el teatro, aparte de Cervantes.

Sería inoportuno discutir en este lugar la validez d
los principios literarios mantenidos por el autor. Su mi
ma inconsistencia a propósito del valor o demérito d
ciertas imitaciones poéticas permitirían refutarlo en algú
caso sin dificultad. Confundir por otra parte la imitació
de la naturaleza aconsejada por los clásicos con la simpl
copia, es cosa que hubiera sorprendido por lo menos
un Moratín. Con todo, desde nuestra lejanía históric
quizá lo que añade interés a estas páginas de Alcalá Ga
liano sea justamente el intento de aplicar las ideas de l
crítica romántica, o como él dice, filosófica, a la realida
literaria de su tiempo, tan discrepante por lo demás d
tales conceptos. Pensar que cada pueblo tuviera una po
tica particular, acomodada a sus costumbres e ideas, qu
no hubiera modelos generales, que los franceses tuviera
su teatro, los españoles el suyo, y ambos fueran bueno
eran principios que los redactores del Censor de Madri

rechazaban en 1821 como opuestos al buen gusto y conducentes a la anarquía.

Es verdad que al final de su panorama, cuando llega al primero y único escritor romántico que había aparecido hasta entonces, el futuro duque de Rivas, la crítica de Alcalá Galiano se hace más positiva, ya que esta vez la teoría y la realización práctica andan más acordes. Angel de Saavedra, según nos dice este amigo suyo, se había propuesto ser el poeta romántico de España. El moro expósito *no era por tanto un poema que pudiera clasificarse según las normas aceptadas, ni trataba por otra parte de preservar la dignidad formal de la poesía heroica clásica. Como la vida diaria tenía sus partes luminosas y su lado oscuro; un lenguaje altamente poético unas veces, otras, en cambio, sencillo y corriente. Los personajes, tanto nobles como plebeyos, están individualizados, las descripciones tienen colorido, y hay cuadros que por su animación y variados contrastes parecen sacados de la vida real. Un buen ejemplo, en suma, de la poesía «nacional y natural» que Alcalá Galiano preconizaba.*

Es bien curioso que este panorama literario, escrito y publicado en inglés, no se dirija en el fondo sino al lector español. Terminada la exposición histórica, el autor, como podrá verse, añade unas páginas que ya no miran al pasado sino al futuro, y en las cuales, cambiando de tono, en vez de analizar o juzgar, lo que hace es aconsejar a los escritores españoles, exhortándoles a tomar un nuevo rumbo. El crítico propiamente dicho ha cedido el paso al patriota liberal.

Si la etapa literaria que acababa de reseñar le parecía mediocre, debido a las desfavorables condiciones políticas y sociales de la vida española, por una parte, y por otra, a la sumisión a principios estéticos falsos, ajenos al carácter nacional, urgía, pues, tomar una nueva dirección renovadora. No había gigantes en la literatura española de su tiempo, pero si los hubo antes, bien podía haberlos otra vez el día de mañana. Quizá bastaba para ello remover obstáculos de uno u otro orden y dejar que el genio español, libre y desembarazado, pudiera manifestarse con todo su natural vigor. Así lo creyeron también Blanco White y Larra.

Esta es la primera vez que los artículos de Alcalá Galiano en The Athenaeum aparecen en español. Después de su regreso a España, apenas reprodujo, que sepamos, más que su ensayo sobre Jovellanos. También repitió, con ciertas modificaciones, algunas partes de este panorama, las de Cienfuegos y Arriaza, por ejemplo. Pero nada más. Ni siquiera en escritos suyos muy posteriores donde se refiere, aunque de paso, a sus colaboraciones inglesas, menciona la del Athenaeum, que fue la más importante. Se trata, pues, de una de esas obras, no tan raras en la literatura española, que quedan al margen, medio olvidadas, por las circunstancias del destierro.

Era difícil, en efecto, que el Alcalá Galiano de años posteriores deseara reproducir en publicaciones españolas lo que en estas páginas se dice, por ejemplo, de Martínez de la Rosa, uno de los personajes más destacados del partido moderado en que él vino a militar. Tampoco el tono de la parte histórica, ni lo referente a ciertos escritores políticos podía ser entonces de su gusto. Calatrava no era ya santo de su devoción, sino un adversario en la vida pública. El liberal exaltado de 1820 y de la emigración había desaparecido.

Hasta literariamente era otro, y no por conversión al clasicismo, como se convirtió en efecto religiosamente. Pero el curso que dio en 1845 en el Ateneo de Madrid sobre la literatura europea del siglo XVIII no parece obra, como observó Montesinos, del autor del prólogo al Moro Expósito, ni de los presentes artículos.

El desengaño romántico de Alcalá Galiano corrió suerte parecida a su desengaño liberal. En 1833 creía aún que el romanticismo, tal como él lo entendió, podía servir de estímulo para una verdadera renovación de la literatura española; de ahí el final de este panorama, de ahí también que en el fondo las clasificaciones literarias le parecieran secundarias. Unos diez años después veía *sus esperanzas desvanecidas. Lo que creyó ser un principio liberador capaz de despertar nuevas y fecundas energías, a su juicio no había sido otra cosa, exceptuando a Rivas y Espronceda, que una moda literaria imitada una vez más de Francia, y tan infecunda por consiguiente como lo fue antes la imitación de los clasicistas franceses. El autor ya no hubiera podido considerar la finalidad de estas páginas más que como un intento fracasado.*

Ello no obstante, el panorama de 1834 merece ser conocido del lector español de nuestros días. No hay, que yo sepa, ninguna otra exposición dedicada exclusivamente a la literatura española del primer tercio del siglo XIX, escrita por un coetáneo. Con todos sus errores y lagunas, con todo su partidismo político y literario, y aun quizá por esto mismo, la reseña de Alcalá Galiano contiene valiosas páginas de crítica incisiva, irónica, vivaz y apasionada poco o nada frecuentes en su tiempo, fuera de Larra. Por otra parte, el fondo histórico, las circunstancias del momento, vivificadas por el recuerdo personal, contribuyen a perfilar el cuadro de la época, o a descubrir la motivación de algunas obras y el carácter de sus autores. En este sentido, el retrato literario de Capmany bien puede servir de ejemplo. En último término, las páginas que siguen nos revelan a un Alcalá Galiano del que no dan cabal idea obras suyas posteriores, casi las únicas por las que fue conocido en su propio país.

Vicente Llorens
Princeton University

Literatura española del siglo XIX

Al final del reinado de Carlos III, época en que comenzamos esta reseña de la literatura española, puede decirse en verdad que España había alcanzado un grado relativamente alto en la escala de la civilización. Pues si no se había puesto al nivel de Inglaterra, Francia y algunas partes de Alemania, si, debido a peculiares circunstancias, estaba aún en varios respectos por debajo de las demás naciones civilizadas, hay que confesar que durante el gobierno de los Borbones se había ido levantando gradualmente desde el bajo nivel en que cayó con los últimos soberanos de la casa de Austria. Las ideas de la corte de Luis XIV fueron tradicionalmente conservadas por sus descendientes españoles, los cuales siguieron considerando el fomento y protección de las letras como uno de los deberes y prerrogativas de la realeza. En el cumplimiento de esta obligación Carlos III aventajó a sus predecesores, Felipe V y Fernando VI. Mientras ocupó el trono de Nápoles tuvo la ambición de que le consideraran como protector ilustrado y munificente de las letras y las ciencias. Los descubrimientos de Herculano y Pompeya[1] le parecieron su mejor y más seguro título al respeto de la posteridad, y el cambio de la corona de Nápoles por la de España, un paso que abría nuevo y ancho campo a sus esfuerzos en tal sentido. Sin embargo, aunque España le es deudora en medida no pequeña, se ha exagerado el monto de la deuda por calcularlo en comparación con los tiempos que precedieron y siguieron a su reinado más que teniendo en cuenta su valor intrínseco. Carlos III, aunque buen rey, era un hombre vulgar, pueril e insensible; tan fiel creyente en el «derecho divino» de los monarcas como en su credo religioso, pero prudente y ordenado. Metódico en el cumplimiento de sus deberes oficiales y en su vida privada, se asemejaba en muchos puntos a su antecesor el rey Sol, cuando el alegre libertinaje de la juventud dio paso a la mecánica y sombría devoción de años posteriores.

La literatura española, tal como existió bajo el primer Borbón, podría ciertamente calificarse de exótica. Al ascender al trono, Felipe de Anjou se encontró con una España abandonada, casi sin huellas de cultivo intelectual. Cuando se calmaron las guerras y alteraciones que ocasionó su disputada sucesión, el príncipe francés se propuso arrancar las malas hierbas que infestaban el campo de la literatura e introducir en su lugar los productos de su propio país. La vegetación que brotó de las nuevas semillas presentaba todas las apariencias de su origen extranjero y de su forzado crecimiento: enana de estatura y de escasa fragancia los frutos que produjo. Con el tiempo, sin embargo, alcanzó cierto grado de naturalización; perdió algunas de sus cualidades originarias y adquirió muchas propias del terreno a que la habían trasplantado.

Los escritores españoles que florecieron durante los primeros sesenta años del siglo XVIII no fueron más que simples traductores, hasta en sus composiciones originales. En su afán de evitar los vicios del viejo estilo, cayeron en el extremo opuesto. Los escritores españoles de la última parte del siglo XVII se entregaron a una desaforada y casi irracional extravagancia. La frialdad y la rigidez se han considerado largo tiempo pecados de la literatura francesa, particularmente de la poesía. No nos detendremos aquí a averiguar si se ha exagerado o no esa acusación, pero tenemos la certidumbre de que es aplicable en el máximo grado a los escritores españoles de los dos primeros tercios del siglo XVIII. No pueden éstos librarse de una condenación que es el justo destino de los imitadores, cuyas obras, por muy inteligentemente que estén ejecutadas, son siempre deficientes en el color y vitalidad que corresponden a las creaciones de los espíritus originales; mucho más en este caso, cuando el propio modelo posee los defectos inherentes a toda copia. Si la luz del genio se debilita al reflejarse, claro está que cuando la llama original es pálida, reflejada habrá de ser muy tenue por fiel que sea el espejo.

Pero la sumisión e insipidez que hemos imputado a los escritores españoles de ese período, como copistas de originales franceses, es atribuible al código literario adoptado y mantenido oficialmente por el gobierno. España, como el país vecino, poseía una Constitución literaria organizada. El abandono en que quedaron las letras bajo los Austrias pudo haber producido algunas consecuencias favorables de haber existido en España algo semejante a la libertad de pensamiento o de palabra, pues se ha afirmado (y en ningún otro axioma tenemos mayor fe que en éste) que la libertad produce mejores efectos sobre el desarrollo y reproducción sucesiva del genio humano que cualquier especie de protección. Pero la Corte española, bajo los Austrias, no era sólo negligente sino opresora —el despotismo civil y religioso impedía que brotaran aquellas mismas plantas cuyo cultivo desdeñaba. La literatura fue en cambio *patronizada* por los Borbones. España se convirtió en una Francia en miniatura: si la una tenía su Versalles, su *Maison du Roi,* la otra tuvo también sus corporaciones literarias. La Real Academia llamada de la lengua ocupaba el lugar de la *Académie Française.* A la *Académie des Inscriptions et Belles Lettres* la representó la Real Academia de la Historia. Mientras en esta última se leían Memorias referentes a la historia de España, la primera (aparte de la compilación oficial del Diccionario de la lengua) proponía temas y concedía premios en competiciones literarias —correspondiendo la decisión de los respectivos méritos al juicio, pasiones o parcialidades de los académicos. Siguiendo la moda dominante entonces en Francia, las composiciones recomendadas principalmente por la Academia fueron los *éloges*.

Así sucedió que la literatura española quedó desnacionalizada bajo la dominación del clasicismo francés. Pero el mal no paró aquí: la misma lengua no fue menos adulterada que el estilo de los escritores, y a medida que se difundía la lengua francesa, y en consecuencia eran más leídos los libros franceses, los españoles aprendieron a *pensar* como sus vecinos y a adoptar sus formas expresivas en la formulación de sus propios pensamientos.

El mal así originado no fue puro y sin mezcla. Poco había que elogiar en la antigua literatura española, excepto algunos felices destellos de imaginación. La práctica de los autores españoles durante la última parte del siglo XVI y la primera del XVII (período denominado enfáticamente la Edad de Oro de España) consistió en imitar con toda fidelidad a los antiguos escritores romanos y a los italianos modernos. Los historiadores se habían propuesto como tarea copiar y aun traducir a Livio y Tácito, mientras los poetas imitaban alternativamente a Virgilio y Ovidio, a Petrarca y Ariosto. Con la excepción del *cuento picaresco,* el drama y los romances nada original puede encontrarse en los escritos españoles. La Inquisición y el ilimitado despotismo de la Corona tuvieron en ello su influjo. «Un Dios y un Rey» fue el lema común de la moral y la política, una línea de pensamiento sin desviaciones fue la consecuencia, y los principios literarios quedaron encerrados entre límites tan estrechos e insuperables como los que confinaban las ideas religiosas y políticas.

Francia era un país de gran ilustración cuando sus

scritores se convirtieron en los modelos imitados por os españoles. Una hueste de grandes escritores en casi odas las ramas de la literatura habían surgido durante l brillante reinado de Luis XIV, y aunque pequen los oetas por ausencia de férvida inspiración y los prosisas por su estilo excesivamente cortesano, ningún país uede enorgullecerse con nombres superiores a los de Bossuet y Pascal, Fénelon y Massillon, Corneille y Moière, Lesage y Fontenelle, para no decir nada de otros nenos dotados pero siempre respetables. En el reinado le Luis XV también se distinguieron algunos escritores le primer orden, diferentes aunque no menos valiosos que sus predecesores: entre ellos debemos contar a Montesquieu, Voltaire, Rousseau, Buffon y sus seguidores. De éstos los españoles recibieron no inspiración ciertamente, pero sí un tono intelectual más saludable. Como hombres que ven una nueva luz, sus pensamientos se dirigieron por caminos nunca antes hollados. Al principio quedaron deslumbrados y desorientados por el número y novedad de sus impresiones; poco a poco, sin embargo, se familiarizaron con ellos. La segunda generación de autores españoles de la escuela francesa dio un gran paso en relación con sus predecesores: mientras éstos no habían producido más que copias insípidas, los otros produjeron imitaciones vivaces, y entregándose en cierto modo a su propio genio, bien pronto fueron visibles en sus escritos trazas de originalidad y de carácter nacional. Entre los versos de Luzán y la poesía de Meléndez hay un abismo.

Es también digno de notarse que durante la época en que se estudiaba y seguía a los autores franceses, el intelecto español, despertado por su influjo, empezó a dirigir su atención hacia las obras de los mejores escritores antiguos en su lengua nativa. Las ediciones de obras clásicas de los siglos XVI y XVII se sucedieron unas a otras rápidamente. La crítica literaria, hasta entonces desconocida, hizo su aparición y empezó a decidir sobre los méritos y defectos de obras que hasta entonces habían sido objeto de vagos elogios más que de admiración inteligente, estableciendo así su verdadero valor dentro de la literatura española. Es verdad que con demasiada frecuencia la valoración se hacía siguiendo las normas de la crítica francesa; pero con todo, se trataba de un error que abría el camino para llegar a juicios de más elevado nivel y de superior calidad. Fue el mismo error en que cayó Addison al escribir sus ensayos sobre Milton [2], cuando la influencia del clasicismo francés se hacía notar también en la literatura inglesa; aquellos ensayos, por equivocados que hoy puedan parecernos, fueron los primeros en llamar la atención del público inglés sobre los méritos de su gran poeta épico, echando las bases de la crítica literaria filosófica. Lo que Addison hizo por Milton es lo que la Real Academia Española y Don Vicente de los Ríos hicieron por Cervantes [3]. Hasta que apareció la magnífica edición del *Quijote* y el análisis crítico que la precede, la inmortal obra había sido leída y citada simplemente como un texto divertido; pero este intento, aunque no logrado, de valorar sus méritos fue la causa primera de reconocerlo y de que con el transcurso del tiempo pueda ser mejor comprendida.

El aprecio de las formas externas de la literatura antigua como modelos de imitación, y los esfuerzos por determinar su valor intrínseco, tuvieron por consecuencia infundir en la moderna un espíritu nuevo. Hay que confesar que los antiguos escritores españoles no destacaron por sus concepciones originales y filosóficas o por la audacia de su pensamiento. Los españoles modernos deseaban una literatura más en consonancia con la época en que vivían. Acudieron a Francia en busca de nuevas ideas y alguna vez a Inglaterra, aunque no con frecuencia, pues la lengua inglesa era entonces y sigue siendo poco conocida en España. Los filósofos franceses del siglo XVII fueron sus maestros favoritos. Sería ocioso e inoportuno examinar hasta qué punto obraron con buen criterio escogiendo tales instructores. Agobiados bajo el yugo de la tiranía civil y religiosa, pocos eran los asuntos que podían escoger; de ahí que se apoderaran con avidez de las obras que tenían más a su alcance. Las ideas más atrevidas son muy gratas para el oprimido y descontento; además, los regímenes absolutos crean un hábito de asentimiento pasivo tan influyente que hasta cuando los hombres se liberan de un yugo les impone otro de su propia elección. Así ocurrió que los reformadores españoles se entregaron a los nuevos principios que habían adoptado secretamente con aquel mismo espíritu de *creencia y obediencia implícitas* que les habían *impuesto* las instituciones de su país, y que mientras los estudios de las universidades permanecían inalterables y una jerga bárbara llamada peripatética, con principios ultramontanos, y una teología rutinaria eran el objeto de la pública instrucción, los estudiantes leían y adoptaban como evangelio las obras de Locke y Condillac, Voltaire y Rousseau —y hasta de Helvetius y D'Holbach nada menos. Un impresor de Salamanca, Don Francisco de Tojar, se dedicó a publicar traducciones de las más atrevidas obras francesas, probablemente para uso de jóvenes escolares. Su nombre saltará con frecuencia a la vista de quienes examinen los edictos prohibitorios de la Inquisición, y esa frecuencia es prueba de que sus esfuerzos fueron bien provechosos a pesar de las prohibiciones. [4]

Hubo algunos, sin embargo, que no se dejaron llevar por los principios de la filosofía francesa hasta extremos de incredulidad total y libertad democrática. El espíritu de reforma, que se había extendido entre miembros del gobierno en los años que precedieron a la revolución francesa —ese espíritu, que no se contentaba con menos de extirpar la intolerancia persecutoria, contener la influencia de la Sede Romana, y mejorar las leyes que emanaban del trono, tenía muchos partidarios en la península, tanto entre los gobernados como entre los gobernantes. Hasta los discípulos de la filosofía francesa, como muchos de sus maestros y casi todos sus compañeros en otros países, adoptando a menudo el tono de los reformadores moderados, actuando en concierto con el gobierno y manifestando sólo una parte de sus principios, dirigían sus esfuerzos no hacia la destrucción, ni siquiera la modificación de las instituciones existentes, sino más bien a hacerlas favorables para la causa del mejoramiento social. El jansenismo moderno, esa modificación del catolicismo, cuyos apóstoles más destacados fueron Grégoire en Francia y Ricci en Italia [5], tuvo muchos prosélitos entre los españoles; unos lo fueron sinceramente, otros no eran más que incrédulos disimulados. Beccaria y Filangieri [6] encontraron espíritus afines entre los magistrados y hombres de Estado españoles, pues Campomanes, Jovellanos y algunos más, bien pueden clasificarse como pertenecientes a esta escuela. Carlos III, a pesar de su beatería y de la influencia de sus ministros, aunque despótico y no bien informado, se mostró un tanto favorable a la reforma moderada. La censura de la prensa fue ejercida con cierto espíritu liberal, y el lector de nuestros días que tenga ocasión de hojear las páginas de *El Censor,* periódico de la época, o hasta de *El Apologista Universal,* cuyo director era un monje, se sorprenderá de los principios que entonces se permitía proclamar bajo un gobierno absoluto y en un país donde aún existía la Inquisición [7].

El reinado de Carlos IV, que comenzó en los últimos años del siglo XVIII y se extendió sobre los primeros del presente, fue desgraciado para España. Al llegar al trono, aquel débil príncipe se encontró con un país que estaba en creciente desarrollo intelectual y económico; sin embargo, su reinado no sólo conoció el final de la prosperidad interna y del poder exterior de la monarquía, sino que hubo que ver también el progreso intelectual estorbado y detenido, si no paralizado totalmente. Las riendas del gobierno se pusieron en manos de aquel inexperimentado favorito de la corte, Godoy, Príncipe de la Paz, sobre el cual han recaído todos los dicterios posibles. Aunque no fuera el monstruo que algunos han visto en él, bien puede ser calificado de débil e inmoral en grado superior a las debilidades y vicios del hombre corriente. Fue su destino tener que gobernar durante un período de gran peligro e inquietud para las Cortes y los cortesanos del mundo entero, el de la revolución francesa, y no es sorprendente que la misma desconfianza y temor ante la prensa, la misma actitud sospechosa frente a los hombres de talento que caracterizó a los gobiernos de aquellos días le dominase a él también. Los escritores españoles de entonces estaban poseídos, con pocas excepciones, por el espíritu filosófico de la época; pero algunos lo habían adoptado en la forma más atenuada, y unos pocos, de tendencia camaleónica, se mostraban dispuestos a cambiar su uniforme por la vistosa librea cortesana. Joven, ambicioso, con escaso talento y totalmente desprovisto de conocimientos, sensual y laxo en lo moral, tan apasionado como presuntuoso, vanidoso y vacilante, Godoy decidió de repente convertirse en ministro filosófico y mecenas de la literatura. De enemigo pasó a ser aliado de la república de las letras, el único ministro amigo de ellas entre todos los antiguos gobiernos; después de ser el perseguidor natural de los escritores filosóficos, deseó convertirse en su protector y amigo. Todo su poder, según parecía, se apoyaba frágilmente en el capricho y sumisión de un rey devoto y la pasión violenta de una mujer. El curso que hubo de seguir era peligroso, pues lo odiaban todos y singularmente la parte religiosa de la nación. Algunas veces tenía que revolverse y enfrentarse con sus enemigos; otras, en cambio, ceder ante ellos, cuando creía poder atraerse de ese modo el favor de sus regios amos. Así mantuvo alternativamente el sistema de patrocinar y perseguir a los literatos. En una ocasión despojó al Santo Oficio de su poder y amenazó con su extinción; en otras se valió de la propia Inquisición para castigar a sus adversarios políticos. A Jovellanos, el primer escritor y el más grande hombre de la España moderna, le dio un puesto en el Gabinete, para encerrarle luego en una prisión. Protegió algún tiempo a Meléndez, el restaurador de la poesía española moderna, y después lo desterró de la Corte. A Cienfuegos, escritor que pertenecía decididamente a la escuela filosófica, lo retuvo sin embargo en un puesto oficial. Se abstuvo también de perseguir a Quintana, aunque se sabía que era partidario del gobierno popular y enemigo del trono y del altar, tal como existían entonces en España. Se mantuvo constante en su amistad con Moratín, autor de comedias, con Estala, sacerdote y laborioso escritor, y con Arriaza, poeta satírico; los tres se mostraron dignos de su protector por la bajeza de las alabanzas que le prodigaron, y la guerra que mantuvieron contra todo principio liberal. Protegió también a la autora de varias comedias y poesías líricas que fue tercera de sus pasiones y degradó su genio y se rebajó a sí misma escribiendo versos de una obscenidad indescriptible [8].

En un país donde no existe la libertad política, donde los escritores se ven reducidos a temas exclusivamente literarios, podrá no parecer muy obvia la conexión entre política y literatura; sin embargo, la misma causa que impide a esa conexión manifestarse externamente en obras impresas, opera en secreto fortaleciéndola. El resultado de los impedimentos y restricciones gubernamentales sobre una oposición es el de consolidarla.

Al iniciarse el presente siglo los literatos españoles aparecían formando dos ejércitos: uno, el de la Corte; el otro, el del pueblo. El primero lo dirigían tres jefes reconocidos como tales, a quienes se había otorgado poder discrecional sobre toda obra impresa, aunque sólo uno de ellos desempeñaba el cargo de Juez de Imprentas, mientras los otros dos, superiores a él en méritos literarios, actuaban únicamente como consejeros confidenciales. Los tres, a quienes sus enemigos aplicaban la denominación de *El triunvirato,* eran Moratín, Estala y el abate Melón, este último el censor oficial aludido antes. Quintana dirigía el partido de la oposición, que reverenciaba los nombres y seguía las banderas de Jovellanos y Meléndez.

Pocas son las obras de interés permanente por su asunto o su destacado mérito literario de que pueda enorgullecerse la España moderna. Con la excepción de los

ratados de economía política y legislación de Campoma-
es y la inmortal *Memoria* de Jovellanos sobre las leyes
ue afectan a la agricultura, la última parte del si-
lo XVIII no ha producido nada que pueda recomendarse
la atención de las naciones extranjeras o a la mirada
e la posteridad. Ni una sola obra histórica digna de ser
eída. Don Juan Bautista Muñoz había empezado una his-
oria de América cuyo primer volumen se publicó en
793; pero como esta obra, aunque recomendable por la
xtraordinaria belleza de su estilo, apenas contenía nada
uera de la introducción, y la continuación no ha sido
unca publicada, no cabe considerarla más que como un
ragmento.

Hubo algunos buenos sermones publicados por el Pa-
re Gil, Lavaig y Don Josef Vela, imitando de cerca el
stilo de la oratoria sagrada de los franceses. Los «elo-
ios» de Jovellanos, Vargas Ponce, Vieira, Muñoz, Gil,
lemencín, Cienfuegos y algunos otros, adolecen de los
efectos y bellezas inherentes a esta clase de composicio-
es. Los del eminente personaje mencionado en primer
ugar son tan elegantes de estilo y tan elocuentes en su
enguaje como el mejor «elogio» de que tengamos cono-
imiento. El conde de Cabarrús, aunque nacido en Fran-
ia, es uno de los mejores escritores españoles modernos,
se ha distinguido por sus discursos académicos [9].

Hasta la misma poesía, siempre más cultivada en Es-
aña que cualquiera otra rama literaria, sólo ha produci-
o breves composiciones, casi siempre líricas; no ha apa-
ecido ningún poema extenso. La tragedia, gracias única-
nente a dos o tres acertadas producciones que se elevan
oor encima del nivel común, no podía aspirar a más alta
ecompensa que la que suele otorgarse a las cosas respe-
ables. La comedia tenía a Moratín, autor justamente
dmirado, no obstante sus grandes defectos.

Los autores españoles antiguos, a pesar de la magnitud
e los obstáculos que les salían al paso, habían produci-
o unas cuantas obras de considerable importancia. No
sí los modernos, y sin embargo, podríamos aventurarnos

a afirmar que a principios del siglo XIX los españoles eran más ilustrados que sus antecesores. Quizá esa misma ilustración pueda explicar su inferioridad, o por lo menos la escasa importancia de sus obras. Concebían más de lo que podían expresar. Si pensaban escribir historia tenían ante sí algo que sobrepasaba todo lo que podían haber soñado Mariana, Mendoza, Moncada o Melo, y *esto* era justamente lo que la propia naturaleza de su gobierno les impedía publicar. Podríamos extender la misma observación a la mayoría de otros departamentos literarios. Por lo que se refiere a la poesía, tanto la época como la sociedad se habían hecho decididamente antipoéticas, y por añadidura, el campo en que se permitía dar rienda suelta a la imaginación estaba estrictamente acotado por los estatutos del clasicismo francés.

Apenas salió de las prensas obra en prosa digna de mención en los ocho años transcurridos entre el principio del siglo y el estallido de la primera revolución española. Los merecimientos literarios mejores de Quintana no no hay que buscarlos en el primer volumen de sus *Vidas de españoles célebres* [10]; el estilo de la obra, áspero e incorrecto, está lejos de conseguir la animación narrativa que nos deleita en Plutarco; tiene la sequedad de Cornelio Nepote, sin su elegancia.

Esta época no fue, sin embargo, desfavorable para los periódicos. El *Memorial Literario,* dirigido por Olive y luego por Carnerero, *El Regañón, La Minerva,* y sobre todo las *Variedades de Ciencias, Literatura y Artes,* dirigidas por un grupo de escritores —Quintana, el más conspicuo—, eran todas publicaciones de indudable si no sobresaliente valor [11].

Fue por entonces cuando dos pésimas traducciones se convirtieron en credo y bandera de los dos partidos literarios opuestos que hemos señalado. Los *Principes de Littérature,* del abate Batteux, obra insignificante, fueron traducidos por el Sr. Arrieta bajo el patronato de los *triunviros* [12]. A la traducción, que revelaba una ignorancia total hasta de la lengua francesa, se le añadieron varias y extensas disertaciones sobre literatura española sacadas en su mayor parte de libros impresos antiguos y modernos; el resultado de tal empalme fue una producción no injustamente comparada por el *Memorial Literario* con el monstruo horaciano.

Al mismo tiempo Don José Luis Munárriz, partidario de la facción opuesta, publicó una traducción de las *Lectures,* de Blair [13]. Considerando simplemente los méritos de la traducción, justo es decir que la de Munárriz era un poco, pero sólo un poco, mejor que la de Arrieta; sin embargo, los artículos críticos sobre la literatura española añadidos a la traducción bien podían ufanar al autor por su originalidad y audacia. A veces duros, injustamente a menudo, aunque con razón en la mayoría de los casos, mostraban preferencia por la literatura extranjera sobre la nacional, y por los autores modernos sobre los antiguos cuando se trataba de producciones españolas. Tales juicios resultaban intolerablemente ofensivos para la vanidad y los prejuicios nacionales, y sirvieron de pretexto para abrir las hostilidades. Los *triunviros* se valieron de su poder oficial. El traductor de Blair había preparado un compendio de su obra para que sirviera de texto escolar, y cuando solicitó el necesario permiso para imprimirlo, la contestación fue una larga y dura crítica que quitaba todo mérito a lo que había hecho, y acababa con la denegación de la licencia [14]; abuso sin paralelo en la historia de la censura, cuya misión consiste simplemente en prohibir la publicación de escritos ofensivos en materia religiosa, política o moral, y no en hacerse eco de opiniones literarias divergentes.

Mientras la tiranía, guiada por la rivalidad, dominaba de este modo las prensas de la capital de España, la literatura se cultivaba también en algunas ciudades provincianas. Entre éstas se distinguía Sevilla. Allí se formó por iniciativa personal y privada una Academia de Buenas Letras, entre cuyos socios se contaron Blanco White (bien conocido en Inglaterra), Arjona, Lista y Reinoso, todos los cuales pertenecían al sacerdocio, y eran *entonces* afectos a los principios liberales, juntamente con otros individuos de mérito inferior aunque respetable. Se ocupaban principalmente de la poesía y crítica literaria, y el *Correo de Sevilla* fue su órgano periódico [15]. También en Granada hubo su plantel literario, en donde destacaron Mora, Roca, joven de verdadero talento poético, muerto prematuramente antes de alcanzar la altura a que parecía predispuesto por la naturaleza, y Martínez de la Rosa, más tarde diputado y ministro. Hasta en Cádiz, ciudad mercantil, muy poco propicia por tradición a tales empresas, se estableció una academia. Sus fundadores fueron unos cuantos jóvenes con aspiraciones, cuyos trabajos, sin embargo, no pueden recomendarse más que por el honesto celo que los inspiraba [16]. Todos estos escritores seguían la misma senda: sus únicas producciones se reducían a breves destellos poéticos y esbozos críticos; pero en algunas se revelan cualidades que hubieran podido lucir en trabajos de más envergadura, de haber escrito bajo un gobierno libre o en un país que hubiera tenido lo que aún se echaba de menos en España: un público lector.

Dio fin a este estado de cosas una revolución que sacudió al principio y acabó luego por demoler la entera fábrica de la monarquía española. La atención del pueblo español, desplazada de las empresas literarias, pasó a las vicisitudes de la guerra civil con sus escenas de lucha y confusión. Con todo, los resultados de esta revolución podían haber sido, y lo fueron en efecto, parcialmente beneficiosos para la causa del progreso intelectual. El espíritu patriótico apeló felizmente en su ayuda a la elocuencia y la poesía para aumentar la excitación del pueblo contra los invasores franceses. Es verdad que muchos literatos y «filósofos» se pusieron del lado de los franceses; algunos movidos quizá por la esperanza de mejorar el estado de su país bajo un gobierno ilustrado; otros, sin duda alguna, impulsados por motivos bajos y egoístas. No faltaron tampoco los que abrazaron ambas causas sucesivamente, y al modo de Timoteo, después de haber tocado el clarín de la resistencia patriótica, le emplearon luego con escaso efecto para apaciguar la tormenta que poco antes habían favorecido con tanto empeño. Es errónea, sin embargo, la opinión que han seguido muchos extranjeros —desorientados por los escritores franceses y los españoles partidarios de José Bonaparte—, de que casi todos los españoles afectos a los principios liberales se alinearon con los franceses, mientras que el partido insurgente o patriota lo formaban únicamente los nobles, los eclesiásticos y la plebe, con unos pocos escritores devotos campeones de la tiranía y la superstición. Tan lejos está esto de la verdad que casi todos los dirigentes de los liberales abrazaron la causa patriótica, mientras que los odiados triunviros no hicieron más que pasar de la antigua Corte a la nueva de los franceses, permaneciendo fieles a sus hábitos de servilismo sin más que adaptar sus viejos principios a los nuevos amos. Jovellanos, puesto en libertad tras años de encarcelamiento, fue requerido para formar parte del gobierno patriótico. Cienfuegos murió en Francia, a donde lo llevaron prisionero, mártir de su devoción por la causa popular. Quintana se convirtió en órgano oficial del gobierno insurgente y redactó casi todos sus manifiestos y proclamas. Blanco White, Antillón, Capmany, Martínez de la Rosa y una hueste de escritores menos conocidos tomaron el mismo partido y a él permanecieron adheridos en la próspera y adversa fortuna. Meléndez y algunos más dieron también pruebas en favor de la buena causa, y a la *casualidad* y a debilidad propia hay que atribuir el que fueran luego seguidores de la mala. Sin embargo, no hay que creer en modo alguno que *todos* los amigos del progreso y ninguno de opinión contraria se declararon por la causa patriótica. Al contrario, numerosos partidarios de los más arbitrarios principios de gobierno y de las más fanáticas doctrinas en religión se adhirieron también a aquel partido, el cual, según ellos entendían y declaraban, tenía o debía tener por objeto el sostenimiento de la monarquía y de la vieja España. Al mismo tiempo, muchos individuos bien intencionados se unieron a los invasores franceses persuadidos de que los males que padecía la nación no podían encontrar remedio con la preservación de la independencia o la creación de un poder popular, sino gracias a los bien dirigidos esfuerzos de un gobierno vigoroso e ilustrado.

La libertad de imprenta aprobada por las Cortes y la poco rígida administración de la censura bajo el dominio de José Bonaparte, al remover obstáculos que habían impedido la expresión y en cierto grado la creación del pensamiento, debieran haber tenido efectos beneficiosos en la literatura española. Pero estas favorables circunstancias fueron contrapesadas necesariamente por otras de naturaleza totalmente opuesta. La revolución y la guerra que iban intensificándose furiosamente en el propio corazón del país, mantenían a las gentes en un estado de agitación permanente que impedía prestar atención a todo lo que no tuviera relación inmediata con los acontecimientos del día. La política, y exclusivamente la política del momento, se convirtió no sólo en el tema de toda clase de escritos, sino hasta de toda clase de pensamientos. Las publicaciones del período aludido no podían por consiguiente despertar interés duradero; sin embargo, hay entre ellas algunas obras de importancia que dan lustre a la literatura española contemporánea: la *Historia de la Inquisición,* de Llorente, la *Teoría de las Cortes,* de Marina, y el *Examen sobre los delitos de infidencia,* atribuido corrientemente a Reinoso. Las Cortes de 1810 revelaron mayores conocimientos en asuntos políticos y de otro orden de lo que podía sospecharse, aunque claro está que salieron a relucir teorías muy vagas e ideas poco maduras. Sus debates se señalaron por numerosos despliegues de elocuencia deliberativa (ejercicio nuevo para españoles), que considerados meramente como arranques de oratoria improvisada honrarían a cualquier orador público de países más civilizados políticamente. Al mismo tiempo los escritores del partido afrancesado dejaron muestras notables de su talento en periódicos y publicaciones.

El final de la revolución, en vez de resultar favorable para el cultivo del entendimiento al restaurarse la paz y el orden, fue fatalmente lo contrario. Los literatos españoles se habían convertido todos en políticos, y con muy pocas o ninguna excepción se habían alistado al lado de las Cortes o de los franceses. Cuando el rey de España fue restaurado en el trono, se declaró opuesto a los dos partidos, y no con poca severidad. La mayoría de los españoles ilustrados tuvieron que emigrar; algunos fueron encarcelados. Mientras los restos de Meléndez quedaron sepultados en tierra extranjera, Quintana fue recluido en una fortaleza y Martínez de la Rosa enviado a convivir entre presidiarios en un horrible castillo de la costa africana [17]. Un gran recelo frente a cualquier obra impresa, y pudiéramos decir frente a todo lo que tendía a ilustrar la opinión pública o a difundir conocimientos, se puso de manifiesto en los actos del gobierno español. Así pues, la Restauración fue doblemente lesiva para la literatura española, al castigar a quienes la cultivaban, y al multiplicar obstáculos en el camino de quienes pudieran dedicarse a ella en el futuro. Los seis años que transcurrieron entre la restauración y la nueva revolución de 1820, serían poco más que una página en blanco en la Historia literaria de España, si los emigrados, valiéndose de prensas extranjeras, no hubieran publicado algunas obras de valor.

Es de notar que el carácter de la literatura española permaneció inalterado durante todas las vicisitudes de esos tiempos. Era la misma que había sido desde Carlos III, y consistía en la prosa, con pocas excepciones, en cortos ensayos. Muchos podrían nombrarse entre sus cultivadores, pero ninguno que pudiera considerarse genial o escritor de primer orden. Jovellanos, perteneciente a una generación anterior, podría mencionarse como la sola excepción por ser el único autor vivo cuyas sobresalientes cualidades reconocieron unánimes los críticos nacionales y extranjeros. Ahora bien, Jovellanos, durante el presente siglo, sólo había publicado una obra, y ésta, aunque probablemente sea la más elocuente de las suyas, se limitaba a su propia vindicación personal y no trataba más que de objetos relacionados con la política interior y la historia del gobierno durante la primera parte de la revolución española.

Después de haber trazado así de un modo general el desarrollo intelectual de España, debemos ahora descender a lo particular, entrando en un examen más o menos detallado de las producciones más notables y de las cualidades de los escritores más distinguidos pertenecientes al período que nos hemos propuesto tratar.

Los mejores prosistas de esta época han sido Jovellanos, Estala, Capmany, Martínez Marina, Conde, Llorente, Reinoso, Vargas Ponce, Sempere, Quintana, Clemencín, Antillón, Lista, Blanco, Argüelles, Martínez de la Rosa, Mora y Burgos.

Los mejores poetas del mismo período: Meléndez, Moratín, Quintana, Cienfuegos, Arriaza, Gallego, Reinoso, Lista, Arjona, Martínez de la Rosa, el Duque de Frías, Saavedra, Mora, Roca, Gorostiza y Burgos.

Ya hemos asignado el primer lugar entre esos hombres a

JOVELLANOS. La vida de este hombre ilustre es bien conocida del lector inglés, y su Memoria sobre las leyes de la agricultura ha sido a menudo objeto de elogio. Sobre ella apareció un artículo en uno de los primeros números de la *Edinburgh Review,* aunque dándola a conocer al público inglés sólo a través de una traducción francesa [18]. En el *Itinerario* de Laborde se ha incluido una traducción completa de la obra, pero tampoco hecha del original español sino de otra versión francesa [19]. Algunos extractos de otras composiciones de Jovellanos figuran en apéndice a la obra sobre Lope de Vega, Guillén de Castro y otros dramaturgos escrita por Lord Holland, que fue amigo personal del ilustre español [20]. La *Foreign Review* y la *Foreign Quarterly Review* han publicado sendos artículos sobre Jovellanos que contienen un esbozo de su vida y el examen de su personalidad política y literaria [21]; el de la primera revista mencionada incluye abundantes extractos de sus obras, el de la segunda hace de éstas un examen crítico y entra en detalles sobre los acontecimientos en que tomó parte. Poco podemos añadir a estas noticias que figuran en publicaciones tan recientes y conocidas.

El presente siglo se inició con un acontecimiento muy poco honroso para todos cuantos tuvieron parte en él: el encarcelamiento de este célebre personaje. Jovellanos fue recluido en un convento de la isla de Mallorca sin ser sometido ni siquiera al simulacro de un proceso. Allí escribió dos representaciones o peticiones dirigidas al rey, que con razón han sido muy elogiadas tanto por su valor moral como por la elocuencia que despliegan; pero el interés que suscitaron cesó al llegar a su fin la persecución de que había sido víctima el autor [22]. Mientras sólo pudieron circular copias manuscritas, y era peligroso poseerlas, las representaciones de Jovellanos fueron muy buscadas, transcritas y leídas; tan pronto como aparecieron impresas se vio que no tenían valor más que como documentos históricos.

Cuando se produjo el levantamiento de los españoles contra Napoleón, Jovellanos, que ya había sido puesto en libertad tras la caída de su perseguidor Godoy, fue requerido para formar parte de la Junta Central, que por más de doce meses tuvo en sus manos el gobierno de España (septiembre 1808-enero 1810). Participó en los trabajos y desgracias del aquel cuerpo político, y hasta cierto punto compartió también el odio que despertó entre los españoles.

Los últimos días de su vida fueron amargados por actos de violencia popular, que él creyó de persecución personal, aunque en realidad no pasaron de ofensas circunstanciales, dirigidas contra el miembro de la odiada y despreciada Junta y no contra el *hombre,* muy admirado y respetado por la mayoría de sus compatriotas. A estas circunstancias debemos la obra titulada *Don Gaspar de de Jovellanos a sus compatriotas* [23]. El autor falleció sesenta y cuatro días después de haberla impreso, hostigado y agotado, ya huyendo de los invasores franceses, ya objeto de las sospechas de los patriotas, y a merced de los disturbios que surgen en todo estado de agitación popular. De edad un tanto avanzada, agravadas sus dolencias por sufrimientos físicos y mentales de muchos años, expiró en un pequeño pueblo de Asturias bajo el techo hospitalario de un amigo, que mientras ofrecía al escritor errante asilo y reposo temporal le estaba en realidad preparando su lecho de muerte [24].

Las melancólicas circunstancias que acompañaron la publicación de la Memoria en defensa de la Junta Central la invistieron de un solemne interés que muy pocas obras pueden inspirar por sí mismas. Su estilo, sus faltas no menos que sus bellezas, son perfectamente ciceronianas; en verdad, fue orgullo de Jovellanos (y nunca se estimó a sí mismo sin justa causa) haber hecho suyo el espíritu del orador romano.

La elocuencia de este gran escritor es solemne, grave, y sin embargo llena de fervor en ocasiones. Mientras la elevación del estilo y la cadencia de los períodos delatan al retórico, también ponen de manifiesto al magistrado español, de hidalgo origen, de hábitos moderados, en quien las antiguas características de la nación, discernibles en todo prominente jurisconsulto, están modificadas por otros rasgos que son el resultado de estudios más generales y filosóficos.

En su juventud Jovellanos pasó por un innovador y lo fue realmente; al final de su vida, aun permaneciendo liberal y amigo de toda mejora, manifestó cierta tendencia hacia principios coservadores. Sus *Elogios* tienen algo de «bonito» y un cierto aire francés. El *Informe* sobre un proyecto de ley agraria es de estilo más robusto. Su última producción, aunque bordeando lo florido, es severa a su modo, a pesar de su brillantez. Como su prototipo romano, Jovellanos pecó siempre de verboso —lo que podría decirse también de casi todos los escritores españoles.

La colección de las diferentes obras escritas por Jovellanos ha sido desde hace tiempo un desiderátum en la literatura española. Por fin la ha publicado Don José Gómez Cortinas, uno de los traductores de Bouterwek[25]. Esta colección es tolerablemente completa, aunque a consecuencia, sin duda, de las circunstancias políticas existentes en España, la producción más elocuente de Jovellanos, a que hemos hecho referencia hace poco, ha sido omitida. Siendo así que esa obra sólo trata de acontecimientos transcurridos hace mucho tiempo, y contiene principios que, aunque liberales, distan mucho de coincidir con los promulgados con las Cortes de Cádiz, no podemos menos de lamentar la situación de un país donde hasta la historia queda maniatada, y la literatura forzada a retirar de la atención pública sus mejores producciones por tener su origen en hechos políticos pasados —ocurrencia nada infrecuente— o referirse a ellos.

A pesar de algunos lunares, Jovellanos presenta el mejor modelo de composición española. Sus escritos forman el puente que une la antigua y la moderna España, siendo dignos de consideración por sí mismos y como el más glorioso monumento representativo de su época. Durante mucho tiempo Jovellanos ha sido citado como modelo perfecto de lenguaje español puro. Recientemente, sin embargo, algunos españoles se niegan a reconocerle como tal. Pero aun cuando poseyera ese mérito (y es cierto que hizo grandes esfuerzos por lograrlo) para él era de todos modos secundario: sus intentos aspiraban a metas mucho más altas. No es este el caso de su contemporáneo Capmany, para muchos su rival en este respecto, y aun superior a él en la opinión de algunos. En sus últimos años este docto y laborioso escritor no tuvo más preocupación que restaurar la pureza original de la lengua castellana. Parece que lo consiguió, según el dictamen de muchos españoles, aunque no faltaron disidentes por motivos que examinados con calma e imparcialidad teníán sólido fundamento.

Don ANTONIO DE CAPMANY Y MONTPALAU (a él le gustaba dar su nombre completo) nació en Cataluña. El lenguaje de su infancia fue por consiguiente el dialecto de aquella provincia, que tiene más de provenzal que de castellano. Lo cual representaba una gran desventaja para un escritor que aspiraba a ser, y así lo creía él mismo, modelo de verdadera y pura dicción castellana. Sea como fuere lo que pensemos de sus obras, ninguno de los que conocieron al autor podrá negar que hablaba muy mal la lengua que tan bien creía escribir. Su acento, y hasta con frecuencia sus giros eran enteramente catalanes: escribir, pues, buen castellano era para él una hazaña un tanto difícil, y el esfuerzo que le costaba es discernible en sus escritos.

Capmany publicó en la primera parte de su carrera literaria varias obras de interés y utilidad general. Sus *Cuestiones críticas* arrojan luz sobre muchos puntos importantes de la historia económica de España [26]. Sus *Memorias históricas sobre la marina, comercio y artes de la antigua ciudad de Barcelona* (1779-1792) son mucho más entretenidas de lo que el título podría hacer esperar al lector, y constituyen una valiosa contribución a la historia de la Edad Media por la diligente investigación crítica con que están compuestas, rara en autores españoles. Su *Apología de las fiestas de toros* es una divertida pieza de sofistería. La colección de *Antiguos tratados de paces y alianzas entre algunos Reyes de Aragón y diferentes príncipes infieles de Asia y Africa* (1786) es interesante. Por el contrario, el *Teatro histórico-crítico de la elocuencia española* (1786-1794) de ningún modo satisface la expectación suscitada por el altisonante título; libro de elegantes selecciones de textos, o poco más, en donde, como suele ocurrir en tales obras, el espíritu de gusto filosófico brilla por su ausencia. El discurso preliminar merece pocos elogios; cierto que está escrito en un castellano tolerablemente puro, pero de estilo defectuoso, y animado por ese fiero y ardiente patriotismo que pretendiendo prestar un servicio al propio país y a su lengua, considera necesario y laudable rebajar los méritos de lenguas y escritores extranjeros. El resumen de literatura inglesa que contiene haría sonreír seguramente al lector inglés ante la audaz presunción de quien se atreve a emitir juicio sobre algo que apenas conoce. Las opiniones críticas sobre los autores seleccionados muestran una extraña mezcla de rigor en algunas ocasiones, y en otras de elogios desmesurados.

Desde la publicación de esta obra Capmany se creyó con derecho a ser considerado el más puro y castizo de los escritores españoles. En la *Filosofía de la elocuencia* (1777), otra de sus producciones, había dado abundantes pasajes de autores franceses para ilustrar las figuras de dicción, sin dejar además de agraciar con galicismos su propio texto. En la última parte de su vida, cuando su galofobia se convirtió casi en manía, volvió a redactar la obra, dándole otra forma, a la que prestaremos atención después.

Una de las mejores producciones críticas de este escritor es su comentario a una mala traducción española del *Telémaco* de Fenelón, debida a Covarrubias [27]. Da idea ventajosa de su humor, no menos que de su conocimiento de ambas lenguas, la suya y la francesa.

Otra obra, más útil que brillante, ha aumentado la fama de Capmany entre sus compatriotas: el *Diccionario Francés y Español* (1805). Mucho antes ya había publicado su *Arte de traducir el idioma francés al castellano* (1776), que aunque muy imperfecta tuvo su utilidad. El Diccionario superaba con mucho a todas las desgraciadas obras que hasta entonces ostentaron semejante título, e iba precedido de un corto prefacio que fue y sigue siendo admirado por muchos. La admiración que merece es, sin embargo, relativa: se trata de una pieza vigorosa y chispeante, que muestra gran conocimiento del francés y del español y que contiene numerosas observaciones justas y agudas, pero desfigurada por una retorcida fraseología, confusas metáforas y ciegos prejuicios nacionales que casi pasan por alto, cuando no tratan maliciosamente de ocultar, las mejores cualidades de la lengua francesa.

Pero la obra que, como es sabido, enorgullecía al propio Capmany fue su producción patriótica *Centinela contra franceses* (1808). En sus momentos de vanidad (que eran en él frecuentes) se le oyó decir que la intrépida resistencia opuesta por la nación española al poder de Napoleón se debió principalmente a esa obra suya. En una de sus ediciones afirma que el emperador de los franceses insistió en que se la leyeran mientras estuvo como conquistador en su campamento de Chamartín. Es más, Capmany llegó hasta a persuadirse a sí mismo de que el gobierno francés trataba con empeño de aniquilarle personalmente. Una anécdota por completo verídica hará ver cuán firmemente arraigada estaba en él esta vanagloriosa creencia. Durante el sitio de Cádiz (1810-1812) estando una vez sentado Capmany a la mesa del embajador inglés, sir Henry Wellesley, a quien visitaba con frecuencia, una bomba de las baterías francesas cayó en la casa donde se encontraba o muy cerca. Nada más corriente, pues una torre de señales adherida al edificio y el vecino campanario de la iglesia y convento de San Francisco eran como el blanco a donde los sitiadores solían dirigir sus tiros; pero nuestro autor lo interpretaba de modo diferente, declarando estar seguro de que los franceses, sabedores de su presencia en la casa, contra ésta habían disparado la artillería con el principal objeto de quitarle la vida.

El *Centinela* es Capmany de cuerpo entero, con todos sus prejuicios y todo su talento; impetuoso, elocuente, burdo, arcaizante; apelando a las peores y mejores pasiones del corazón humano, personificando todas las peculiaridades nacionales, respirando ese violento espíritu patriótico capaz de producir tanto lo bueno como lo malo, desde el amor a nuestro país hasta el absurdo de tolerar sus abusos y odiar a los extranjeros, rechazando injustamente todos los mejoramientos que puedan aportar. Por todas sus páginas circula una rica vena de humor descomedido y tosco, vivificado a veces por no raros chispazos de ingenio. A los franceses se les presenta como una combinación de todo lo que es odioso en la naturaleza humana; hasta la galantería y devoción por el bello sexo, que son orgullo del español, las ha olvidado de tal manera el autor en esta ocasión, que llega a desahogar su cólera contra las francesas y a condenarlas sin apelación, no por su supuesta laxitud moral, como erróneamente creía el vulgo entonces en muchos países y sobre todo en Inglaterra, ni siquiera por aquel deseo de exhibición e inocente espíritu de coquetería del que sin duda ellas mismas se declararían culpables, sino ¡por su general y absoluta fealdad! El político, o el historiador, que desee familiarizarse con los sentimientos y prejuicios del vulgo durante la primera parte del levantamiento español de 1808, hará bien en leer el *Centinela,* y quienes se interesen en la composición literaria lo encontrarán digno de atención por su estilo enérgico y castizo, aunque no elegante.

En otra producción de casi la misma fecha Capmany mostró igualmente sus buenas y malas cualidades, como hombre y como escritor; sus excentricidades y flaquezas no menos que sus conocimientos y su humor. Las proclamas del gobierno patriótico español, redactadas por Quintana, fueron muy admiradas, y con cierta razón, aunque haya mucho en ellas ofensivo para el buen gusto y la sintaxis española. Capmany, que tenía ojos de lince para tales faltas y era ciego para los méritos que las disculpaban, publicó en Cádiz unas cartas sobre dichas proclamas, bajo el nombre de «Un buen patriota que vive oculto en Sevilla» [28]. Su crítica es justa con frecuencia y siempre mordaz, pero no contento con anotar las transgresiones literarias de su adversario, ataca absurdamente su carácter y hasta su aspecto personal, y desafiando toda decencia alude soezmente a la desgracia que destruyó la felicidad conyugal de Quintana, en la que, por añadidura, el propio acusado fue simplemente la víctima. Es más,

Capmany, asiduo en otro tiempo a la tertulia de Quintana en Madrid, extiende su enemistad a todos los que allí solían ir, y mostrando a la mirada pública las ofensas reales o supuestas que sufrió de ellos, aun las más veniales, parece deleitarse con el estrago que hace de sus reputaciones. El lector no puede menos de apartar asqueado la mirada de estas cartas; sin embargo, fueron elogiadas y leídas con fruición por un público dado al escándalo. Por desgracia, sus méritos literarios tanto de composicóin como de crítica, no son nada comunes.

Un año después Capmany publicó la última edición de la *Filosofía de la elocuencia* [29]. El título de esta obra está puesto con el objeto de desorientar al lector, que naturalmente espera encontrarse con un tratado filosófico. No es sino un libro elemental de retórica, al modo de Quintiliano, o más bien de Rollin y Crevier [30]. En esta obra, como el viejo pecador que al llegar al final de su vida siente compunción por los errores y vanidades de su juventud y hace todo lo posible por expiarlos, Capmany lamenta haber sido culpable en la primera edición de un atroz pecado contra el patriotismo citando y elogiando pasajes de escritores franceses en vez de españoles. En la segunda edición todas esas partes delictivas quedaron eliminadas y reemplazadas con textos de autores españoles. El libro cambió totalmente, apareciendo ahora vestido, por decirlo así, con una indumentaria nacional anticuada y fantástica, y al paso que el autor copiaba cuidadosamente los giros idiomáticos, imitaba también el estilo y sobre todo las peculiaridades y defectos de sus modelos. El pasaje siguiente puede seleccionarse entre muchos otros parecidos como muestra del mal gusto reinante en las letras españolas desde los días de Gracián y Quevedo hasta una época mucho más tardía, ridiculizada por el Padre Isla en su *Fray Gerundio*: «Los antiguos nos daban dentro de una medalla todo un César; porque los grandes hombres se han de medir de pescuezo arriba».

Capmany fue miembro de las Cortes españolas de 1810 y un decidido constitucionalista, pero desempeñando un papel que dejará seguramente atónito al lector inglés, y que resultaría extraordinario en el parlamento británico. Ejercía el cargo de censor de los discursos, para vigilar la pureza gramatical y cualquiera transgresión de las reglas de la sintaxis española; sobre todo, ni un solo galicismo se le escapaba sin señalarlo ni reprobarlo. A menudo se levantaba indignado en plena sesión, echando espuma por la boca y lanzando miradas de patriótico fuego, para denunciar alguna frase o palabra que a él le parecía ser alta traición literaria. Así condenó el uso de *miembros* por *diputados,* aunque se trataba ciertamente de una innovación inglesa más que francesa [31].

Muy poco después de dar fin a sus trabajos parlamentarios, Capmany murió a consecuencia de la fiebre amarilla, en edad avanzada, aunque no muy viejo. Su tumba fue adornada con un epitafio laudatorio que daba testimonio de su labor política y literaria. Esa inscripción funeraria fue quitada por orden del gobierno después de la Restauración de 1814, prueba manifiesta de que no son sólo el librepensador y el demócrata quienes se atreven a violar con manos profanas la paz y santidad de los cementerios. Un caso parecido y más reciente ocurrió en Cádiz en 1823. Después de la caída de las Cortes, la piedra sepulcral que cubría los restos de Don Tomás Istúriz —diputado por Cádiz muy ilustrado y patriota— también la quitaron de su sitio. El espíritu que arrojó los restos de Blake de la abadía de Westminster no se ha extinguido [32].

No obstante sus graves yerros y limitaciones, Capmany es uno de los más notables autores que ha producido la España moderna. Aprendió la lengua castellana en los libros, pues, como hemos señalado antes, no empezó a hablar y pensar en el dialecto castellano. De ahí que aparezca contagiado por las peculiaridades y fraseología de los escritores nacionales de siglos pasados, ya que despreciaba a sus contemporáneos. Era además un hombre excéntrico, y estas circunstancias combinadas son las que dan una marcada nota de extrañeza a su estilo. No era ciertamente lo que sus admiradores creían, un grande quizá el más grande maestro en el arte de la composición española; pero tampoco puede con justicia decirse de él que «su estilo es tan malo que quienes gustan de sus obras poseen seguramente un gusto literario perverso y corrompido», como han dicho los redactores de la *Gaceta de Bayona*[33], que alterando así el famoso dicho de Quintiliano sobre Cicerón se han dejado llevar por animosidades políticas cuando pretendían juzgar solamente méritos literarios.

No existe ninguna colección completa de las obras de Jovellanos, según dijimos, ni de Capmany, y quizá no hay que esperarla por ahora. Por una parte los principios políticos mantenidos a veces por estos escritores no casan bien con las opiniones del gobierno español de nuestros días y no iba a permitirse que aparecieran impresas (como hemos señalado en el caso de Jovellanos); por otra, la falta de lectores es suficiente impedimento para que ningún editor se embarque en lo que resultaría probablemente un mal negocio.

Don MANUEL JOSE QUINTANA, a quien Capmany miraba con sentimientos de rivalidad literaria que al final se convirtió en frenética y agria enemistad personal, es un escritor español bien conocido. Quintana vive todavía y sus compatriotas coinciden en ponerle a la cabeza de la presente generación literaria[34]. Aunque se ha distinguido principalmente como poeta, sus escritos en prosa merecen consideración.

A Quintana se le tiene generalmente como escritor de la escuela francesa por su estilo enteramente galicista. Y no es que pueda acusársele de falta de interés por la historia y la literatura de su propio país, pues se ha ocupado y sigue ocupándose en la composición de una biografía de españoles célebres, y nos ha dado la mejor colección que hasta ahora poseemos de la poesía nacional[35]. En sus lecturas, por consiguiente, los antiguos escritores han tenido que ocupar no exigua porción de su tiempo. Pero la peculiar conformación de su entendimiento y la naturaleza de sus primeros intentos literarios le condujeron al estudio de autores franceses, y en fuentes francesas halló tanto los principios como la inspiración que anima cualquiera de sus escritos.

Su producción crítica es más bien considerable. Su breve ensayo histórico sobre la poesía española, obra de superior mérito, ha sido presentado al público inglés por Mr. Wiffen al frente de su excelente versión de Garcilaso de la Vega [36]. El traductor inglés, al mismo tiempo que elogia a Quintana, se muestra adverso a sus juicios por creerlos estrictamente conformes con los rígidos principios de la crítica francesa. Aunque ello es cierto, hay que tener en cuenta, sin embargo, que Quintana se eleva muy por encima de toda la hueste de críticos de su misma formación. Lo que dice sobre los romances es tan justo como bellamente escrito, aunque quizá demasiado favorable para ese género de composiciones; y los romances no pertenecen ciertamente a la escuela italiana ni francesa que bajo el nombre de clasicismo han dominado sucesivamente en la literatura española [37]. Su juicio sobre los poemas de Francisco de la Torre tiene el subido mérito, que ninguna otra crítica española posee, de adentrarse en la apreciación del valor intrínseco de la poesía, en vez de considerar meramente su forma externa. Algunas otras partes del ensayo en cuestión merecen igual elogio. El conjunto está escrito con ese peculiar estilo que caracteriza al autor: falta de corrección, frecuente aparición de expresiones francesas extrañamente entretejidas con palabras y frases anticuadas, y no pocos pasajes llenos de vívida elocuencia y profundo sentimiento.

Ya hemos dicho que Quintana tomó parte activa y destacada en la insurrección nacional contra Napoleón. El fue quien emprendió la publicación de un periódico, el *Semanario Patriótico,* que influyó más que ninguna otra obra sobre la opinión pública española durante el curso de aquella revolución. El *Semanario* se convirtió de hecho en el periódico guía del país. Sin embargo, en vez de halagar prejuicios populares, tuvo el más noble propósito de difundir principios liberales, y logró que entraran en la mente del pueblo, dirigiendo la atención de los españoles hacia el mejoramiento de sus propias leyes políticas no menos que a liberar el país del yugo extranjero [38].

Quintana fue asimismo autor de los manifiestos de la Junta Central y de los gobiernos que la sucedieron al frente de la insurrección española. Consideradas puramente como producciones literarias, aquellas proclamas eran ciertamente verdaderos arranques de elocuencia patriótica. Capmany, como dijimos, las censuró acremente olvidando que sus máculas estaban sobradamente compensadas por sus bellezas. El Dr. Southey, destacado juez en materias literarias, y por su conocimiento de la lengua y la literatura españolas perfectamente autorizado para dictar sentencia, las ha elogiado grandemente, a pesar de que sus propios y bien conocidos principios políticos lo enfrentan con las doctrinas profesadas por el patriota español [39].

En sus escritos en prosa Quintana sigue siendo un poeta, lo que implica, según creemos, un cierto grado de censura. Poco constante en el estilo, a veces peca de grandilocuente, pero con frecuencia es tan sensible como animado. En ningún otro escritor que esté por encima o al nivel de la mediocridad pueden descubrirse tantas faltas contra el buen gusto y la corrección literaria; pero, por otra parte, ningún español de nuestros días nos ha dejado pasajes de superior belleza, quizá ni siquiera iguales.

Don PEDRO ESTALA, perteneciente al sacerdocio, ha sido uno de los escritores más laboriosos de su país, ya que no de los más famosos. En su juventud publicó dos traducciones muy fieles pero muy ramplonas de dos grandes producciones de la musa dramática griega, el *Edipo tirano* de Sófocles y el *Pluto* de Aristófanes. Los versos en que están escritas, cada uno con el número exacto de sílabas que les corresponde en español, dan a estas producciones la semblanza de la poesía, pero aunque el autor quisiera ir más allá, la verdad es que el sonido y el lenguaje se parecen tanto a la prosa que apenas pueden mencionarse más que como *rima.* La verdadera prosa del autor es más digna de encomio. Su *Viajero universal* es entretenido, y algunas piezas de crítica literaria debidas a su pluma, aunque fuertemente contagiadas por la vanidad nacional, merecen recomendarse [40].

Don JOSE VARGAS PONCE, oficial de la Marina y hombre de vasta erudición, conocido entre sus compañeros de carrera con el nombre de Vargas el Sabio —si en son de elogio o de burla, es cosa que el autor de estas páginas no se atrevería a decidir—, fue también otro de los escritores modernos que tenía el pique de escribir el español con toda su pureza. Compuso algunos poemas, y una tragedia que fue representada, y sin embargo (o más bien, habría que decir, por esta misma razón) no lo incluimos aquí entre los poetas. Su prosa queda desfigurada por una afectación intolerable. Cayó en la más intrincada y extraordinaria fraseología por su constante empeño de escribir como los españoles del siglo XVI. Sus obras son numerosas. En su juventud ganó el premio de composición de la Real Academia por su Elogio de Alfonso el Sabio, y hasta su vejez se ocupó en trabajos literarios; no obstante lo cual, ninguna de sus obras es hoy leída, aunque el autor, por extraño que parezca, gozó de gran reputación literaria hasta el momento de su muerte. Ocurrió ésta en 1820, mientras ocupaba por segunda vez un puesto en las Cortes, entre otros representantes de la capital de España [41].

Don ISIDORO ANTILLON sólo es conocido por una excelente aunque breve geografía de España, por sus colaboraciones en el *Semanario Patriótico* y otros periódicos, y por sus *Noticias históricas sobre Don Melchor Gaspar de Jovellanos* [42]. Con todo, esta escasa producción ha sido suficiente para darle cierta fama. Se trata sin duda de un escritor vigoroso y de nerviosa elocuencia, que habría figurado ciertamente entre los mejores de la España moderna de haber tenido ocasión de mostrar con toda amplitud sus facultades. Antillón perteneció a las Cortes de 1813 y desplegó tales cualidades y adquirió tanta reputación como orador que vino a disputarle la palma de la elocuencia española a Don Agustín Argüelles, el divino. Con la restauración de 1814 fue encarcelado, y habiéndose hecho él mismo por su actitud odioso a las autoridades del rey, lo trataron con la correspondiente dureza. Esto, unido a su delicada salud y temperamento irascible, lo dejó muy quebrantado y murió durante el primer año de encarcelamiento [43].

Por fortuna, los patrióticos esfuerzos de los españoles no tuvieron siempre la misma recompensa. Don FRANCISCO MARTINEZ MARINA, uno de los hombres más doctos, estudiosos e ilustrados de que puede enorgullecerse su país, vive todavía (1), y aunque en un tiempo fue objeto de persecuciones, desafecto y sospechas, se le permite ahora pasar sus días sin molestias en decoroso retiro. Martínez Marina pertenece al sacerdocio español y fue canónigo del cabildo de San Isidro, cuerpo ilustre por las virtudes, talento y erudición de la mayoría de sus miembros, considerado plantel de Jansenismo, o con otras palabras, de ideas liberales en religión y política. Perteneció a las Cortes de 1820 y votó del lado popular en casi todas las cuestiones que se presentaron [44].

Martínez Marina es conocido por varias doctas obras acerca de la legislación política de España. Entre ellas su *Ensayo histórico-crítico sobre la antigua legislación de León y Castilla* (1808) merece especial mención y encomio como obra de investigación y gran acumen crítico, dotada al mismo tiempo de un estilo vigoroso y correcto. Pero la obra a que debe principalmente su fama es la *Teoría de las Cortes* (1813). Libro de gran erudición, redactado en un estilo templado y grave, que a veces llega a ser elocuente y es siempre notable por la pureza de dicción, aunque no pocas veces pueda reprochársele su pesadez. Aunque el estilo de este autor no revela el menor entusiasmo, y su molde conceptual parece a primera vista hasta duro y severo, un examen más detenido permite ver que está animado por un espíritu de elevado patriotismo que en ocasiones le arrebata. Un historiador reciente le ha acusado con justicia de ver en los españoles de la Edad Media a los patriotas de las repúblicas de la antigüedad o a los hombres de nuestra ilustrada época, y en las instituciones de estados poco organizados y de escasa civilización modelos de perfección que sólo pueden existir cuando las teorías basadas en una sana filosofía surgen de la experiencia y por ella se adaptan al uso [45]. Sin la menor intención de faltar al respeto debido a Martínez Marina, a un político imparcial le parecerá algunas veces casi un visionario; sin embargo, aun así, tendrá que rendir justicia a la amplitud de su saber, a la pureza de sus motivos, y en suma a sus grandes méritos como escritor.

Martínez Marina tuvo un antagonista en su propio compatriota SEMPERE Y GUARINOS, hombre asimismo de gran erudición. Este caballero hubo de emigrar por afrancesado, y naturalmente tomó partido contra el campeón de las Cortes españolas. En opinión de jueces imparciales (y entre otras autoridades de peso contamos a los redactores de la *Edinburgh Review* y al distinguido historiador inglés mencionado anteriormente), Sempere lleva la mejor parte en la contienda. Su obra (aunque muy parcial en favor de la monarquía e inferior en elocuencia a Martínez Marina) tiene quizá una visión más objetiva y certera de la situación política de la España antigua [46].

Mientras las instituciones de la España cristiana medieval eran juzgadas y escudriñadas de este modo por opuestos autores, surgió el historiador de un período de extremado interés en los anales de la nación, hasta entonces vergonzosamente descuidado por los propios españoles, aunque merecía ciertamente atención por constituir una época de grande y singular civilización. El lector apenas necesita que le digamos que se trata de don JOSE ANTONIO CONDE, el autor de la *Historia de los árabes en España* [47].

Conde había publicado una traducción poética de Anacreonte (2), Teócrito, Bion y Mosco, que además de no ser deficiente en espíritu puede alardear de exactitud [48]. Su historia es, sin embargo, su mejor título a la consideración del mundo literario; con todo, a pesar de ser obra de grande erudición, sus méritos como composición literaria son más bien escasos. El autor ha seguido de cerca el estilo de las viejas crónicas, y por eso, en vez de dar a la narración aquella frescura y viveza que son el encanto de las páginas de Mr. de Barante [49], le sirven de estorbo al mismo tiempo que la hacen poco elegante. Por añadidura, debido a la ausencia de referencias adecuadas a los historiadores de la España cristiana, la narración no puede ser útil para ilustrar la historia general del país; así pues, aunque la obra acredita mucho a Conde como arabista, no le dará fama como historiador.

La *Historia de la Inquisición* de don JUAN ANTONIO LLORENTE es una publicación casi tan meritoria como la anterior [50]. Sin duda alguna, representa una contribución muy valiosa a la historia de las instituciones religiosas y del entendimiento humano. Antes de que saliera a luz, poco era lo que se sabía del famoso tribunal, aun en España. Mientras existió fue corriente entre españoles el dicho «con la Inquisición, chitón». Cuando la abolieron Napoleón y las Cortes —es decir, los dos contendientes por la supremacía política en España— la falta de documentos impidió la publicación de otra cosa que vagas generalidades respecto a sus misteriosos procedimientos. El Dr. Puigblanch en una obra titulada *La Inquisición sin máscara* [51], había atacado dicha institución con gran vehemencia y aclarado algunos puntos de su historia y organización, pero su trabajo dejaba todavía mucho por conocer. Llorente había sido secretario de la Inquisición, y cuando ésta fue abolida, se aprovechó de los archivos. Su diligencia lo calificaba para escribir una historia cuyo primero y más destacado mérito debía consistir en la abundancia y autenticidad de los documentos incluidos. La historia de la Inquisición resultó, como cabía esperar, un libro curioso. Pero mal escrito. Llorente había nacido en las provincias vascongadas, donde, como es bien sabido, se habla una lengua totalmente diferente de la castellana, y aun de todas las europeas, hasta el punto que entre españoles «concordancia vizcaína» es sinónimo de sintaxis absurda. Puede que esto sea un prejuicio, pero es verdad respecto a Llorente [52]. La historia de la Inquisición, sus *Memorias históricas sobre la revolución de España,* su ingeniosísima obra acerca del autor de *Gil Blas* [53], y muchos otros trabajos fruto de su infatigable laboriosidad, no puede decirse que estén escritos en castellano. El menos exigente lector español, por mucho que le satisfaga la materia contenida en sus obras, no dejará de sentirse herido por las peculiaridades del estilo.

Los últimos años de su vida los consumió Llorente en una activa lucha contra las pretensiones de la Santa Sede. Aunque había escrito contra los patriotas y abrazado el partido opuesto a las Cortes, al triunfar aquéllos en 1820 se convirtió, a favor de una reforma de la Iglesia, en uno de sus más celosos defensores. Vivía en París y allí escribía incesantemente apoyando las ideas de los constitucionalistas españoles, con el resultado de que lo expulsara del país el gabinete francés a fines de 1822 [54]. Llegó a Madrid ya muy viejo, con la salud destrozada, pero con todas sus energías intactas. Tuvo la suerte de asistir pocos días después de su llegada a aquella famosa sesión de las Cortes en donde las notas dirigidas por el Congreso de Verona fueron objeto de animada e interesante discusión. Era impresionante ver a aquel anciano, el rostro ajado brillando de exaltación, contemplando al cabo de diez años de destierro con sus propios ojos el alentador espectáculo de una asamblea deliberativa española, y oyendo los acentos de sus patrióticos oradores [55]. El autor de estas líneas no olvidará nunca el momento en que fue presentado a él en el salón de Cortes, ni el gesto que acompañó su tembloroso apretón de manos. Pocos días después era cadáver; una piadosa y súbita muerte le ahorró la mortificación de ver aquellos brillantes proyectos deshechos, y le ahorró también la persecución que hubiera amargado sus últimos días, bien recluyéndolo en una prisión, o forzándolo por segunda vez a errar por tierras extranjeras como compañero de *otro* grupo de emigrados [56].

En la guerra teológica emprendida por miembros de la Iglesia católica contra su cabeza visible, el romano Pontífice, Llorente tuvo un entusiasta y no menos celebrado compañero, que le igualaba en celo y erudición y lo superaba en mucho como escritor. Se llamaba don JOAQUIN LORENZO VILLANUEVA, uno de los emigrados a quienes los acontecimientos políticos lanzaron sobre este país, donde aún reside, prosiguiendo sus trabajos con infatigable vigor a pesar de su avanzada edad [57]. El Dr. Villanueva fue en su juventud autor de un *Catecismo del Estado* y una defensa de la Inquisición en donde se mantenían principios favorables a la tiranía civil y religiosa [58]. Sin embargo, en años posteriores, como miembro de las Cortes de 1810 y 1820, compensó noblemente aquellos errores de su juventud (quizá actos de acatamiento a las circunstancias existentes), y adhiriéndose a sus recién adoptados principios, sin reparar en las consecuencias, ha demostrado ser digno amigo y compañero de aquellos canónigos de San Isidro entre los que se contaron Martínez Marina, Navas y algunos más, tan conspicuos por su devoción religiosa como por su saber.

Las obras del Dr. Villanueva son muy numerosas, y él mismo ha dado cuenta de ellas en la interesante autobiografía que publicó en Londres bajo el título de *Vida literaria del Dr. Villanueva* [59]. Es de lamentar, sin embargo, que la mayor parte de sus escritos traten de materias sin interés para el lector general. Pues pocos, quizá ninguno de los autores españoles del día, pueden disputarle al Dr. Villanueva la palma como escritor puro e idiomático en su lengua. En verdad, el estudioso que abre una de sus obras puede imaginarse que está leyendo a algún autor castellano del siglo XVI o de principios del XVII. Pero a diferencia de Capmany y de otros, no por ensartar frases tomadas de libros antiguos, procedimiento común mediante el cual muchos españoles creen haber logrado su empeño de escribir como sus antecesores, cuando en vez de una correcta imitación el resultado es una composición afectada que se parece mucho a la caricatura. El Dr. Villanueva *escribe* como los autores castellanos antiguos; su estilo fluye fácil y naturalmente, y aunque puede ser tachado con justicia de prolijo y hasta gárrulo —característica común en obras de escritores ancianos— hay también en sus libros pasajes llenos de ingenio, y con más frecuencia de humor. En este sentido una de sus mejores muestras es el folleto sobre tema literario que publicó en Londres bajo el título de *Don Termópilo*[60].

JAIME VILLANUEVA era hermano suyo; su igual en muchos respectos, superior a él en algunos. Este hombre bonísimo, que murió desterrado en Londres, había pertenecido a las órdenes monásticas; pero, aunque rígido en sus principios religiosos, supo combinarlos con las doctrinas liberales en política y una justa aversión por la persecución e intolerancia. Su *Viaje literario a las iglesias de España* lo acredita grandemente como erudito y escritor. Su estilo es tan puro como el de su hermano y algo más ligero, aun cuando hay un acusado aire de familia en las obras de ambos. Los dos colaboraron con gran entusiasmo y éxito en un periódico publicado en Londres que tendremos ocasión de mencionar en el curso de esta historia[61].

Hablando de escritores que tratan de revivir el viejo estilo de Castilla, no puede olvidarse el nombre de don BARTOLOME JOSE GALLARDO. En un tiempo fue reverenciado como maestro del idioma por muchos de sus compatriotas, aunque sus títulos, tan reconocidos entonces por la mayoría, hayan sido puestos en tela de juicio más tarde; ahora apenas le quedan unos cuantos y fieles partidarios. Un justo y desapasionado juez reconocerá que en los últimos años se le ha condenado con tan poca razón como fue ensalzado antes. En 1822 un satírico español dijo de él que después de haber sido el César de la literatura en Cádiz, se había convertido en Madrid en el Belisario. Esto es ir demasiado lejos. Gallardo es cáustico y vanidoso por sus conocimientos, y esto le ha creado un sinfín de enemigos que le han atacado incesantemente con feroz animosidad. Su fama se apoya en varias obritas ligeras; una de ellas, la *Apología de los palos dados a don Lorenzo Calvo* [62] es un folleto entretenido, cuyo interés desapareció cuando las circunstancias que lo motivaron fueron olvidadas. Otra es el *Diccionario crítico-burlesco* (1812), libro también de circunstancias, para emplear el término francés, imitación del *Dictionnaire Philosophique* de Voltaire, muy divertido con frecuencia y de extraordinario humor, pero echado a perder por su injustificable impudicia. Otros folletos del mismo corte publicados después por Gallardo, la *Carta blanca* (1821) y la *Zurribanda* (1822) no tuvieron éxito, y en realidad poco lo merecían, aunque el lector imparcial encontrará en ellos gracia, humor y gran dominio del lenguaje [63]. Este autor se ocupaba en un trabajo de gran empeño y utilidad: la compilación de un diccionario de la lengua castellana, con la intención de reemplazar el muy imperfecto de la Real Academia Española; pero los materiales que había recogido, y las partes que ya tenía ordenadas para publicación, fueron destruidos por el populacho sevillano que saqueó en 1823 los archivos y propiedades de los diputados a Cortes [64].

No puede negarse energía de estilo a Gallardo, ni humor, y hasta gracia. Por lo demás, no hay duda de que está bien familiarizado con su lengua, y que la domina; no obstante, hay manchas en su estilo que oscurecen por completo tan excelentes cualidades. Es intolerablemente arcaico, y parece complacerse en una fraseología tan ruda como artificiosa; sus esfuerzos, además, por restaurar palabras y expresiones anticuadas son demasiado visibles. Sus frecuentes paréntesis muestran ignorancia o descuido de la belleza dispositiva en la composición. El lector experimentado reconocerá en algunas de sus obras la imitación del estilo de Cervantes, y aunque a menudo acertada, es demasiado fiel para que parezca natural. Villanueva escribe con el estilo de nuestros escritores antiguos, pero no imitándolos directamente, mientras que en Gallardo uno encuentra pasajes que parecen simples extractos de determinadas obras. Y hasta cuando cesa de copiar, el cuidado de evitar los galicismos y la lucidez del estilo francés le lleva a usar tales inversiones y una sintaxis tan complicada como no se encuentra en ningún buen escritor castellano. Su humor también lo desfigura la vulgaridad, y su ingenio, tratando constantemente de ser mordaz, resulta con frecuencia forzado.

El nombre de BLANCO WHITE se inserta en el catálogo de los prosistas españoles de mérito, aunque haya escrito muy poco en su lengua nativa. Algunas colaboraciones en el *Correo de Sevilla* y el *Semanario Patriótico,* unos cuantos folletos y su gran obra periódica *El Español,* que dirigió en Londres de 1810 a 1814, forman la totalidad de su producción en castellano [65]. En estos ligeros escritos, sin embargo, Blanco demostró ser uno de los mejores literatos españoles; hasta aquellos que discrepan de las doctrinas políticas contenidas en *El Español* tienen que hacer justicia a los variados conocimientos, grandes cualidades y bellezas de estilo que aparecen en sus páginas.

Su viejo amigo y compañero de la escuela literaria sevillana don FELIX JOSE REINOSO se ha dado a conocer (entre otras obras de menos consideración) por un libro muy notable, que aunque publicado anónimamente todos se lo atribuyen, y hasta él mismo ha confesado la paternidad, bien que no abiertamente. Se titula *Examen sobre los delitos de infidelidad a la patria* [66] y es obra que trata de probar que aquellos españoles que se pusieron al servicio de los invasores franceses no fueron culpables de ningún delito, y en consecuencia no había por qué infligirles el menor castigo. En apoyo de esta aparente paradoja, Reinoso saca a relucir las más respetables autoridades en el Derecho de gentes, y de su testimonio saca la conclusión de que el haber servido a una potencia en guerra contra nuestra propia nación es un acto que aquellas leyes no denuncian como delictivo. Si esta argumentación se admitiera como concluyente, se acabaría de golpe con todos los procesos por infidencia, ya que el deber de lealtad dependería de la fluctuante marcha de los ejércitos, y sólo podrían reclamarlo los dominadores temporales del país en que vivimos. Sería absurdo negar que ello está en flagrante contradicción con la existente y reconocida práctica de todas las naciones, y sin embargo, leyendo la obra de Reinoso se creería que la doctrina que él mantiene ha sido admitida universalmente. El sucesivo desenvolvimiento conceptual que aboca a tales conclusiones es digno de atenta consideración, y aunque el lector las rechace, no podrá menos de admirar la habilidad desplegada en su apoyo. La obra es también recomendable por su vigoroso y muy elegante estilo; aunque no destaque por su pureza idiomática, está libre de estridentes galicismos. Su único defecto es que el lenguaje no fluye con facilidad por excesivo retoque; defecto característico del autor, más visible aún en su poesía, como tendremos ocasión de observar al ocuparnos de este género de composición literaria.

Don ALVARO FLOREZ ESTRADA, que por haber vivido como emigrado político en Inglaterra de 1814 a 1820 y otra vez de 1823 a 1830, es bien conocido del público inglés, debe asimismo mencionarse entre los escritores españoles de nuestros días. La gran falta de su estilo es precisamente la total ausencia de retoque o corrección, aunque queda compensada en ocasiones por su vigor. Ha escrito mucho, principalmente sobre asuntos políticos. Su obra acerca de la insurrección de América del Sur, aunque no satisfizo ni a unos ni a otros, y sólo proponía un fantástico plan teórico para reconciliar a las emancipadas colonias con la madre patria, merece alabanza; no carece de fuerza, y contiene saludables principios expuestos de un modo claro y sin afectación [67]. Su proyecto de Constitución para España (escrito hacia 1808 y publicado poco después) es curiosamente absurdo; no hay duda de que el autor, a juzgar por obras suyas posteriores, ha adquirido luego nociones más acertadas sobre la naturaleza de los gobiernos y las instituciones políticas [68]. Un fragmento de historia de la revolución española que apareció en la revista de Blanco White *El Español,* está escrito con energía, aunque como simple imitación de los historiadores de la antigüedad no cabe elogiarlo mucho [69]. Su briosa y larguísima *Representación al rey Fernando VII* (el lector no esperaría de tal título un folleto que casi equivale a un volumen), aunque un tanto discutible así en el fondo como en la forma, es apasionada y a veces elocuente [70]. El estilo de Flórez Estrada en todas sus obras es desaliñado; de él dijo un malintencionado crítico que escribía con brocha en vez de pluma, pero este defecto queda paliado por su vigor natural y falta de afectación.

Don JOSE CANGA ARGÜELLES es uno de los más laboriosos y prolíficos autores de la España moderna. Su estilo, aunque fluido y con frecuencia animado, peca casi siempre de verbosidad e incorrección. A él se debe un *Diccionario de Hacienda* muy útil; pero el autor escribe siempre de prisa, y el reproche de falta de precisión, que influye en su estilo, es mucho más grave naturalmente cuando afecta a los hechos. Los demás escritos de Canga Argüelles consisten en polémicas políticas y disquisiciones financieras [71]. Fue dos veces ministro de Hacienda, y tomó asiento en las Cortes en 1813 y 1822. Entre 1814 y 1820 estuvo encarcelado, y de 1823 a 1830 residió en Inglaterra como emigrado político. Después de haber colaborado en algunas publicaciones periódicas en defensa de la causa constitucional [72], súbitamente se convirtió en apologista de Fernando VII, escribió contra sus propios compañeros de destierro, y por extraño que parezca, no escatimó invectivas *contra sus propios actos* como ministro, protestando contra el reconocimiento de los bonos de las Cortes por el gobierno español, aunque el empréstito de las primeras Cortes fue contraído por él mismo en su cargo oficial [73]. A consecuencia de esta retractación se le ha permitido regresar a España, y la *desgracia* de haber votado en Sevilla en favor de la deposición del rey ¡ha sido olvidada!

Se ha hecho corriente, tratando de escritores españoles modernos, destacar y loar a un autor sin otro fundamento que el proporcionado por una sola obra, a veces muy corta, o algunos artículos aparecidos en periódicos o en publicaciones literarias de las Academias. Tal es el caso de don DIEGO CLEMENCIN, cuya única obra importante es su *Elogio de la reina católica Doña Isabel.* Esta sola publicación, sin embargo, le hace digno de mención honorable por mostrar que no le faltan cualidades de buen historiador. El *Elogio* está bien escrito, con elocuencia y estilo puro y elegante; las notas son muy valiosas [74]. Clemencín formó parte de uno de los gobiernos constitucionales, y de las Cortes de 1820; sin embargo, continúa residiendo en España sin ser molestado por el gobierno.

Don JOSE MARIA CALATRAVA tiene menos derechos para figurar entre los autores españoles del día por no haber publicado más que Informes como miembro de las Cortes y algunas obras de controversia política; sin embargo, hasta esas mismas publicaciones sin importancia demuestran que pocos de sus compatriotas escriben mejor que él. Su estilo fluido es una feliz combinación de elocuencia y energía, de intensa pasión y dignidad. Pocos le han igualado como orador, y seguramente habría alcanzado también eminencia como escritor de haber tenido ocasión de desplegar sus capacidades. En una desagradable controversia relacionada con pasados acontecimientos políticos de España, Calatrava puso de manifiesto sus dotes de argumentador agudo y escritor de primer orden en dos breves cartas que publicó en Londres contestando a su compañero de destierro Flórez Estrada, por quien había sido atacado con vehemencia [75]. Hasta aquellos que coincidan con su antagonista admirarán el talento revelado por Calatrava en esas cartas; quienes aprueban su conducta y admiran su carácter, añadirán en su favor la serena dignidad —no exenta, sin embargo, de cálida pasión— que da belleza a sus convincentes razonamientos y a su correcto y nervioso estilo.

Don AGUSTIN ARGÜELLES, mucho más celebrado como orador, sólo puede ser mencionado en estas páginas como autor de la larga introducción a la Constitución española de 1812; pero ese gran discurso no es de poco mérito —su estilo, en vez de la brillantez y animación que caracterizan la oratoria del autor, es el que corresponde al asunto: grave y decoroso [76].

Poco hay que decir de don FRANCISCO MARTINEZ DE LA ROSA como prosista, aunque es digno de mención por varios divertidos folletos publicados en Cádiz entre 1811 y 1812 sobre pasajeras circunstancias del momento [77]; por una buena, aunque breve, noticia histórica sobre la guerra de las Comunidades que acompaña como introducción a su tragedia *La viuda de Padilla;* por un ensayo sobre la insurrección española de 1808 que apareció en *El Español* de Blanco White en Londres [78], y por las notas a su *Arte poética,* que por su extensión adquieren la importancia de una obra crítica sobre la literatura española [79]. Martínez de la Rosa escribe con elegancia y tolerable pureza; cierto que en su juventud aspiró a contarse entre los *puristas,* y por eso las frases anticuadas son frecuentes en las obras que compuso en aquel período. Entonces dio también pruebas de poseer una rica vena de ese peculiar ingenio que ha hecho famosos a los andaluces; pero la persecución que sufrió, los peligros que le amenazaron y su reclusión en uno de los más sombríos y apartados presidios de Africa, afectaron su salud y abatieron su ánimo, y si no puede hablarse de un acusado decaimiento intelectual, por lo menos se echa de ver una lamentable disminución de la vivacidad anterior en todos los escritos de su edad madura, aun después de haber recobrado la libertad y ejercido el poder por algún tiempo. Martínez de la Rosa ha sido también diputado a Cortes y ministro, y es un orador de primer orden. Sin embargo, desde un punto de vista literario está a más altura como poeta, y como tal volveremos a ocuparnos de él con más detalle.

Don JOSE MANUEL DE VADILLO, caballero que ha tomado asiento en las Cortes por dos veces y desempeñado el cargo de ministro, es también merecedor de un lugar en nuestro catálogo de autores españoles. En sus opúsculos sobre la legislación de la usura y la política comercial española defiende principios que ni siquiera en países más avanzados que España se han admitido todavía [80]. Una pequeña obra anónima que se le atribuye hace aún más honor a su talento. Aunque por el título parece tratar de la insurrección de la América española, lo que explica en realidad es la naturaleza y desarrollo de las negociaciones que empezaron en Verona y fueron proseguidas en Madrid, Londres y París con la concreta finalidad de derribar la Constitución española [81]. El autor muestra gran capacidad de análisis y dominio de la materia; su estilo, como el de todas las obras de Vadillo, es grave y correcto, idiomático en ocasiones, pero un tanto pesado.

Don JOSE JOAQUIN DE MORA es uno de los más vivaces e inteligentes escritores de la España moderna, y sin embargo no ha producido ninguna obra importante o correcta; de ahí que sus compatriotas lo tengan en poca estima. Es más, a pesar de sus extensas lecturas, se le considera en general como hombre de conocimientos superficiales. Aunque el carácter personal de un autor no debe influir en la apreciación de sus trabajos literarios, en este caso podemos afirmar sin separarnos de la verdad que de Mora se tiene formada esa opinión tan poco favorable por circunstancias particulares que nada tienen que ver con su capacidad intelectual ni con sus conocimientos. Su ligereza natural y los apremios de la pobreza le hicieron escribir muy deprisa, y por ser él un tanto frívolo y superficial como hombre, se le ha considerado un escritor superficial. La inferencia parecía justa, porque a menudo no carecía de fundamento; pero a veces Mora escribe superficialmente sobre asuntos que entiende de modo cabal. No obstante su gran familiaridad con autores extranjeros, sobre todo franceses, posee un dominio completo de su propia lengua y un vasto conocimiento de la literatura castellana; sin embargo, aunque muchas veces escribe muy bien y con gran pureza, otras cae con frecuencia en galicismos de la peor especie. Sus composiciones tienen todas un carácter inconexo, siendo en su mayor parte breves opúsculos y artículos en publicaciones periódicas de varios tipos.

Muy meritorias son sus traducciones de *Ivanhoe* y *El Talismán,* de Walter Scott, por su conocimiento del inglés y dominio del español

En el almanaque español *No me olvides,* editado en Londres por Ackermann, se encontrarán bellas producciones suyas en verso y prosa; Mora redactó la casi totalidad de esos volúmenes durante dos o tres años [82].

MIÑANO, en contraste con el escritor que acabamos de mencionar, alcanzó de repente gran popularidad entre sus compatriotas. Sus *Cartas de un pobrecito holgazán,* publicación satírica y política, fue la primera que le dio fama literaria [83]; y el mismo ingenio, vivacidad de estilo, dominio completo y facilidad de lenguaje que desplegó en aquella entretenida obra, han caracterizado todas las agudas y mordaces sátiras que la siguieron. Al principio Miñano se alistó en las filas de la libertad, pero luego se pasó al campo enemigo, desde donde lanzaba contra los constitucionalistas españoles sus aceradas y, bien podemos decirlo, injustas invectivas. Hasta aquellos que se han dolido por sus sarcasmos no pueden menos de reconocer la habilidad y talento de quien los disparó. La importante obra que Miñano ha publicado últimamente, el *Diccionario Geográfico de España,* no ha añadido mucho a su reputación. Es una compilación apresurada e inexacta, severamente criticada en una serie de entretenidas y bien escritas cartas en donde el escritor satírico ha sido tratado con la misma implacable dureza que él había usado contra sus rivales [84]. Miñano se ha aventurado también a publicar una obra histórica sobre la última revolución española, que ha preferido escribir en francés [85]. El resultado es algo más que un fracaso; el efecto que su tendencia difamatoria, su deliberada distorsión de los hechos, sus calumnias contra muchos españoles que aún viven, puedan haber producido, está felizmente compensado por su total falta de valor como obra histórica. No forma ni siquiera una narración conexa; por otra parte, el escritor, no contentándose con ser falso y cruel, es además, en esta ocasión, aburrido.

Don MARTIN FERNANDEZ NAVARRETE es en la actualidad el más laborioso de los escritores españoles. Su tratado sobre la participación española en las Cruzadas, además de muy erudito, ofrece muchos datos nuevos [86]. La extensa *Vida de Cervantes* que figura al frente de la nueva edición del *Quijote* publicada por la Real Academia en 1819 es suficiente prueba de su industria, y arroja nueva luz sobre una biografía que ya ilustraron anteriormente Mayans, Ríos y Pellicer. Su obra sobre los descubrimientos marítimos de los españoles, valiosísima adición a la historia general, ha sido muy elogiada por Washington Irving [87]. Navarrete es también un constante auxiliar en los trabajos de las Academias españolas. Pero con todos estos méritos, nuestro autor se distingue por su interminable verbosidad y pesadez de estilo. Raras veces pone un sustantivo sin la escolta de dos corpulentos adjetivos, y los sustantivos y los verbos van siempre por parejas, probando y resultando ser así (para adoptar su propio estilo) un escritor aburrido y prolijo.

Ha habido varias discusiones críticas ingeniosas que podrían dar al lector una idea del estado de la literatura en España; pero la naturaleza poco duradera de tales escritos, de los que apenas queda constancia, nos impide ir más allá de esta mención. Sin embargo, una controversia que se produjo hacia el año 1805 ó 1806 merece fugaz noticia. Los españoles sienten por el genio de Cervantes la misma veneración que los ingleses por el de Shakespeare; pues bien, un joven se propuso controvertir la justicia de esta opinión nacional en una obra que anunció con el título de *El Anti-Quijote.* El mismo pseudónimo que escogió, *El Setabiense* (por haber nacido en Játiva, en latín Setabis) y mucho más el estilo rimbombante del prospecto anunciador mostraban que el autor era un pedante vanidoso y medio loco; pero el anuncio sonó como una blasfemia en los oídos de la devoción patriótica [88]. Esto ocurría por la misma época en que Munárriz publicó en su versión de las *Lecturas,* de Blair, que hemos mencionado antes, la crítica de uno de los capítulos del *Quijote,* en donde al lado de muchas observaciones absurdas, había algunas certeras y juiciosas. Sin embargo, este ensayo crítico y el *Anti-Quijote* fueron tomados por algunos como prueba de una conspiración contra la fama literaria de España, representada por su más brillante genio; en consecuencia, una descarga de violentas injurias cayó sobre el pobre Setabiense. Al principio este pareció alegrarse, viendo crecer su importancia en proporción con la violencia del ataque; pero la primera parte de su obra, que apareció en fascículos separados, demostró concluyentemente su total incompetencia en el trabajo que había emprendido. Lejos de ver en la obra de Cervantes nuevos y desfavorables aspectos, se contentaba con reprocharle algunos insignificantes descuidos en la narración, que eran bien conocidos y habían sido ya señalados por los mismos panegiristas del grande hombre. El Setabiense quedó pronto sepultado, no sólo bajo el peso de los ultrajes que se acumularon sobre él, sino en las profundidades de su propia insignificancia. El campeón que se atrevió a desafiar al sumo representante de la literatura española, desapareció sin que su partida fuese apenas notada; y como no se ha vuelto a oír hablar de él, cabe suponer que la muerte natural haya seguido de cerca a su muerte literaria. Si convertido en objeto de la trillada comparación con Faetón e Icaro, pudo parecerse en su audacia a tran traídos y llevados personajes, mucho más se les pareció en la rapidez de su caída.

Durante la revolución española de 1820, la emancipación de la imprenta desencadenó un torrente de folletos y periódicos, todos los cuales se ocupaban de la política del día. Pero la inundación pronto empezó a menguar, y debido por una parte a la suspicacia de los gobiernos posteriores, que suprimieron y destruyeron todas las publicaciones de aquel período, y por otra al efímero interés de tales producciones, el caso es que no han dejado huella. Durante aquellos años de agitación muchos se convirtieron en escritores sin poseer el necesario requisito de haber sido antes lectores. Sin embargo, aparecieron entonces ensayos y artículos periodísticos que recogidos en volumen harían ganar justa fama a algunos de sus autores. JONAMA, desgraciada víctima de la persecución política, además de escribir una buena y original obra sobre la composición del Jurado, demostró ser autor de gran fuerza lógica, aguda inteligencia, penetrante ingenio y estilo fluido y elegante [89]. En numerosas publicaciones breves GOROSTIZA dio muestras de aquel humor que tendremos ocasión de elogiar más cumplidamente al hablar de sus obras dramáticas [90]. Los trabajos de Miñano ya han sido mencionados. También hay excelentes artículos sobre política y literatura en *El Censor,* revista mensual que el propio Miñano redactaba con la colaboración de Lista y Gómez Hermosilla. En *El Zurriago,* periódico muy popular, aunque desacreditado por los ataques personales que llenan sus páginas, abunda el ingenio. BURGOS en su *Miscelánea* y *El Imparcial* y NARGANES en *El Universal* podrían competir con los mejores periodistas de cualquier país. También el coronel SAN MIGUEL, cuyos manifiestos y proclamas (que llevaban la firma de Quiroga) durante la insurrección del Ejército en 1820 fueron justamente admirados por su patriótica energía y elegancia de estilo, publicó algunos artículos importantes en *El Espectador* [91].

La guerra contra el formidable poder de la Francia napoleónica que, con la asistencia de Inglaterra, acabó triunfalmente para España, exigía un historiador a tono con la importancia e interés de la contienda. La tarea fue emprendida por un monje, el padre SALMON, pero su total incapacidad para mostrarse a la altura de tan noble objeto se echó de ver en seguida, y la obra, que consta de varios volúmenes en octavo, pasó silenciosamente de la imprenta a los empapeladores de baúles [92], con la excepción quizá de algunos ejemplares que podrán hallarse intonsos en las librerías de los amigos del autor [93]. Una junta de oficiales sacó a luz, por orden del rey, otra historia sobre el mismo asunto, pero sólo apareció un volumen de introducción [94]. Como la obra declaraba ser puramente militar, su interrupción no puede producir sorpresa ni es de lamentar. Las circunstancias políticas de España, cuando el rey, después de su restauración, castigó severamente a la mayoría de los que tomaron parte activa en la guerra, claro está que impedían toda elucidación histórica de los principios políticos de la revolución española que acompañó a la guerra. La nueva situación de 1820 acabó, sin embargo, con esas extrañas contradicciones de mandar de golpe que escribieran a quienes no podían escribir lo que querían; la libertad de imprenta establecida entonces cabía suponerla favorable a la continuación de la mencionada obra, pero la agitación revolucionaria puso fin a toda investigación histórica.

Desde el cambio de 1823 no se ha publicado en España ninguna obra en prosa merecedora de atención, si exceptuamos la de Navarrete señalada anteriormente. Se ha emprendido, es cierto, una nueva edición de la lamentable *Historia de la literatura española* de Bouterwek, con la añadidura de un copioso apéndice, absolutamente imprescindible en un libro que por sus intolerables desatinos mal merecía el honor de ser traducido a una lengua ni ser divulgado en una nación que el autor ignora, no obstante profesar lo contrario [95]. El apéndice muestra alguna erudición y diligencia por parte de los traductores, pero nada que se acerque a una visión filosófica. De haberla tenido, se habrían dedicado probablemente a escribir una obra original sobre materia de tanto interés e importancia —obra que es todavía y parece lo será por largo tiempo un desiderátum en la historia general de la literatura.

Don Diego Clemencín, cuyos trabajos han sido ya mencionados, se ocupa en un comentario del *Quijote* que posee en la proporción normal los aciertos y defectos corrientes en tales obras [96].

Don SANCHO LLAMAS ha sacado a luz un comentario sobre las ochenta y tres leyes de Toro, que ha sido con razón muy elogiado [97].

En estos últimos años han aparecido algunos periódicos en España. En su mayor parte de escaso interés. En 1830 se publicó uno en Bayona, en español, patrocinado y aun subvencionado por el gobierno de Madrid, en donde aparecieron algunos artículos literarios pasablemente buenos. Pero «los tres gloriosos días» de París pusieron rápido fin a la publicación, que tenía pocas probabilidades de éxito [98].

El lector inglés no podrá menos de sorprenderse ante la pobreza y escasa importancia de las obras escritas por los españoles modernos, y de que los merecimientos literarios de muchos de los autores mencionados en las páginas anteriores sean tan tenues que se funden a menudo en unos cuantos opúsculos, y hasta en uno solo. Ya se han dado las razones, que pueden reducirse a dos: una, las restricciones en la producción y venta de las obras literarias; otra, la escasa demanda existente. El librero-editor podrá aventurarse en algunas ocasiones, pero pocas, y de tarde en tarde, y más bien con obras de utilidad general que propiamente literarias. Por otra parte, los autores no pueden emprender trabajos sin tener la seguridad de que les rindan provecho.

En realidad, los escritos de los españoles modernos merecen ser conocidos más como ilustración del estado intelectual del país que por su valor intrínseco. Desde el primer punto de vista no pueden menos de interesar al observador filosófico. Si uno de ellos dedicara su tiempo a la lectura y consideración de las producciones ligeras, descubriría que sus autores estaban capacitados para hacer algo más y mejor. Aunque la literatura española contemporánea queda muy atrás de la de Inglaterra, Francia, Alemania e Italia, con todo, sus obras menores, comparadas con las de otros países, muestran menos inferioridad de lo que podría esperarse. Ciertamente, no hay gigantes en la España moderna, y el número de sus escritores con verdadera ilustración es pequeño; aun así, las producciones de ese pequeño número no rebasan el nivel general de la mediocridad literaria.

La poesía ha sido más cultivada en España que la prosa, y con mayor éxito. En verdad, muchos de los autores mencionados anteriormente como prosistas han intentado la composición poética, o dispuesto por lo menos sus pensamientos en forma rimada. Y sin embargo, la poesía de la España moderna carece en general de vigor y originalidad. Las escuelas románticas de Alemania, Francia e Italia, y la escuela inglesa, cuyos discípulos tan hábilmente combinan en sus obras romanticismo y clasicismo, han encontrado pocos prosélitos allende los Pirineos; y no porque el clasicismo español proceda de los puros y frescos hontanares de la antigua Grecia, ni siquiera de las menos límpidas fuentes de Roma, pues tiene más bien su origen en esa espúrea mescolanza con que los franceses han llenado sus cisternas, asegurando que eran las aguas sacras de la antigüedad.

Tenemos que otorgar a MELENDEZ el lugar que le corresponde al frente de los poetas españoles contemporáneos. El es el restaurador, el padre de la poesía castellana moderna, un clásico, según la expresión de Quintana, reconocido como tal dentro y fuera de su país. Aunque casi todas sus obras fueron compuestas en el siglo pasado y sólo escribió unos cuantos poemas líricos de no mucha importancia en los últimos años de su vida, teniendo en cuenta que la fecha de su muerte es reciente y su influencia en las letras españolas sigue siendo muy amplia, el examen de su obra poética constituye parte integrante del presente panorama.

Meléndez empezó a escribir poesía poco después de aquella revolución literaria en virtud de la cual el código de Francia se convirtió en la ley de España. Aquellos que adoptaron los principios de la nueva escuela no solamente carecían de inspiración original, sino que mostraban deficiencias hasta en el dominio del lenguaje y del mecanismo de la versificación; habían perdido totalmente el sentido de la poesía, hasta podríamos decir que de las formas idiomáticas de su propia lengua nativa. Había llegado el momento de infundir algo del espíritu nacional en las composiciones de la nueva escuela. En vez de esto, un patriota español, don VICENTE GARCIA DE LA HUERTA (1734-1787), trató de revivir la antigua poesía española con todos sus defectos y algunas de sus bellezas; pero desgraciadamente, en su afán de destruir influencias extranjeras, se declaró también en guerra contra toda innovación y, en consecuencia, contra todo mejoramiento. Los discípulos de la escuela filosófica poética se alistaron decididamente contra Huerta, y Meléndez fue uno de ellos.

Una nueva y en cierto sentido mejor senda, aunque errónea de todos modos, fue la escogida por otro poeta, fray DIEGO GONZALEZ (1733-1794). Se convirtió en fiel imitador de Fray Luis de León, uno de los mejores poetas españoles antiguos; pero desprovisto del genio de su ilustre antecesor, no produjo, como sucede a todos los imitadores, sino copias de la forma externa de su modelo.

Don JOSE CADAHALSO y Don GASPAR MELCHOR DE JOVELLANOS quisieron fundar una nueva escuela que combinase el espíritu de los antiguos escritores españoles y las ideas de los franceses. De ellos se declara Meléndez deudor por los principios de composición que hubo de seguir, adoptados a su vez por los poetas que lo tienen a él por maestro. Pero Cadahalso era más apto para señalar el buen camino que para seguirlo, ya que en el mejor de los casos no pasaba de ser un escritor de escaso relieve. A Jovellanos le dieron notoriedad dos sátiras, fiel imitación de Juvenal, con todas las bellezas y defectos del modelo; pero estas fueron sus únicas composiciones poéticas logradas: sus obras líricas y dramáticas son un completo fracaso, digan lo que quieran sus admiradores. Meléndez tenía más talento poético que ninguno de los dos; sin embargo, no puede decirse que tuviera genio.

En vez de seguir servilmente las huellas de los escritores franceses, Meléndez se propuso no sólo revivir el lenguaje y algunas de las formas externas de la poesía española antigua, sino infundir en ella pensamientos modernos y adaptarla a las normas de la crítica literaria francesa. Estaba dotado de un oído fino, de un corazón sensible, y escribía con gran facilidad. Es indudablemente un maestro en el mecanismo de la versificación; sus versos fluyen con soltura y belleza, y las rimas son casi impecables. Totalmente familiarizado con la lengua de Castilla, la enriqueció con muchos giros nuevos, y aun palabras. En sus esfuerzos por crear una lengua poética, o más bien continuar y perfeccionar la labor iniciada por Herrera con el mismo objeto, se valió de una fraseología anticuada y restituyó al uso común muchos vocablos desaparecidos; mientras que, por otra parte, no tuvo escrúpulos en utilizar (cuando convenía a sus fines) expresiones francesas e italianas, y acuñar nuevos y, en general, sonoros epítetos.

La imaginación de Meléndez era escasa por naturaleza, ni tampoco sus ideas sobre la poesía las más a propósito para enriquecerla. Le tocó vivir en una época fatal para la poesía europea, cuando Gessner estaba en la plenitud de su fama, cuando florecían Hayley en Inglaterra, Delille en Francia y Metastasio en Italia [99]. Estos, y otros por el estilo, eran los poetas que él consideraba como modelos, y de sus compatriotas adquirió la manía que les impulsaba (casi sin excepción) a escribir composiciones pastoriles, o sea, con otras palabras, a traducir y amplificar las églogas de Virgilio.

Los romances son la verdadera poesía nacional de España, y Meléndez estaba en lo cierto cultivando esta clase de composiciones, pero se equivocaba al escoger el estilo pastoril en vez del caballeresco, esforzándose al mismo tiempo para ponerse al bajo nivel de Gessner y Delille.

Pocos poemas de Meléndez pueden resistir la prueba de la traducción. Sin embargo, en su lengua original se leen con agrado. Lo cual es suficiente para caracterizar su poesía, cuya belleza consiste en la facilidad y fluidez más que en otras cualidades superiores. Esto explica también la escasa estimación en que le tienen los críticos extranjeros. Mr. Sismondi ha llegado incluso a colocar a Meléndez al nivel de Huerta y otros mediocres poetas, lo que ha escandalizado a los lectores españoles, atribuyéndolo a la ignorancia que manifiesta Sismondi de una lengua y literatura cuya historia se ha atrevido a escribir [100]. Pero, aunque no podamos disculpar a Sismondi de una acusación harto bien fundada, hemos de admitir que en este caso concreto su juicio *sólo parcialmente* era el resultado de un imperfecto conocimiento de la materia. Es verdad que Sismondi no podía sentir ni apreciar las bellezas idiomáticas y rítmicas de los poemas de Meléndez, pero sabía lo bastante acerca de la naturaleza de la poesía para descubrir que su autor carecía de aquellas cualidades eminentes que caracterizan a todos los grandes «creadores».

A las anacreónticas debe Meléndez su gran fama; sin embargo, como ha observado muy bien un crítico español, esas composiciones tienen más espíritu pastoril y descriptivo que inspiración propiamente anacreóntica. El bardo griego es simplemente el poeta del goce sensual en su forma más crasa: no tiene ojos para la naturaleza inanimada, ni se deleita vagando por campos tranquilos, aspirando sus frescas auras, sino que se abandona a los placeres de la sala de banquetes, con su atmósfera perfumada y su alegre estrépito. Para cantar como el antiguo poeta, el de nuestros días hubiera tenido que ser un hombre de ciudad y placeres urbanos. No lo era Meléndez; poseía una sensibilidad fina, y aunque su amor por la belleza campestre y la inocencia rural era un poco artificioso y adquirido en los libros, se había convertido para él en una segunda naturaleza: si no era un poeta descriptivo, quiso serlo, y como tal aparece en sus églogas, en sus anacreónticas y en sus romances. Para todos esos estilos de composición tenía las mejores condiciones por la fluidez y dulzura de su verso, que ya hemos observado y elogiado; también las imágenes son siempre agradables. Su gran dominio del léxico le permitía enriquecer sus poemas con muchas descripciones, metáforas y comparaciones, y aun cuando raras veces fueran nuevas, y no siempre apropiadas, son en su mayor parte vívidas y gratas, y siempre bellamente expresadas.

Por una poesía lírica de más altura que la indicada Meléndez ha recibido también elogios, pero con menos razón, y por escaso número de críticos, aun entre sus compatriotas. Sus odas filosóficas son pomposas y vulgares. La celebrada «Oda a las Bellas Artes» abunda en falso entusiasmo; Meléndez *nos dice* gravemente que se siente arrebatado por una inspiración vehemente, y se compara con el ave de Júpiter, volando sobre las nubes; pero al lector le da la impresión de estar sentado tranquilamente a su escritorio, redondeando pacientemente las cláusulas. Defecto propio de Meléndez y de la mayoría de los autores españoles modernos, como ocurría y ocurre con los franceses que se llaman a sí mismos *classicistes:* se llenan de entusiasmo en el preciso momento en que sus estatutos literarios determinan que hay que entusiasmarse, y declaran estar delirando cuando en realidad ni siquiera se les ve muy apasionados.

En su propósito de escribir un poema épico Meléndez tuvo muy poco acierto. La *Caída de Luzbel* es, sin excepción, la peor de todas sus obras; hasta sus dotes de versificador parecen haberle abandonado en esta ocasión.

El padre de la poesía moderna española no se mantuvo silencioso cuando casi todos sus correligionarios en la lírica (muchos de ellos amigos y seguidores suyos) rompieron en coro para despertar y alentar a la nación en su resistencia contra Bonaparte. Meléndez publicó dos breves poemas en forma de romances, bajo el título de «Alarmas españolas», pero pobres y faltos de espíritu, e inferiores no sólo a sus propias producciones anteriores, sino hasta a la mayoría de las escritas en la misma ocasión por individuos relativamente oscuros. Sin embargo, poco después de publicarlas aceptó un puesto bajo el gobierno de José Bonaparte, más por miedo a las consecuencias que pudiera acarrearle su negativa que por voluntad propia. En la caída y proscripción de los «afrancesados» corrió la suerte de su partido, y murió desterrado en el sur de Francia, donde reposa en obscura tumba junto a las de otros ilustres españoles víctimas también de presecuciones políticas, aunque por causas diferentes [101].

En el prefacio de una colección de sus poemas [102], Meléndez, con cierta mezcla de modestia y vanidad, se proclamaba fundador de una nueva escuela, cuya senda, señalada por él como simple aficionado, iban ya siguiendo otros escritores más ilustres que sin duda habrían de alcanzar eminencia. De éstos nombraba a tres. Don Leandro Fernández de Moratín, Don Nicasio Alvarez de Cienfuegos y Don Manuel José Quintana.

El primero es más famoso, sin embargo, por su éxito en un campo al que no podía haberle conducido Meléndez, pues figura a la cabeza de los poetas cómicos en la

España moderna. Después de haber vuelto del destierro al que fue forzado como partidario del usurpador francés, abandonó por segunda vez su patria, haciendo de Francia su residencia voluntaria, si antes forzosa. Murió en París (1828), donde la admiración de sus compatriotas lo sepultó junto al monumento erigido a Molière en el cementerio del Père Lachaise.

Los títulos de MORATIN a un puesto eminente en las letras han sido decididamente rebatidos en una publicación inglesa (la *Foreign Quarterly Review*) y mantenidos y exagerados no menos vigorosamente en una revista rival (la *Foreign Review*)[103]. El lector imparcial y bien informado descubrirá en el primer artículo la pluma de un crítico extranjero muy poco familiarizado con la literatura y costumbres españolas, pero dotado de gusto y gran conocimiento de la poesía en general; mientras que en el segundo advertirá los sentimientos de un español de nuestro tiempo que se deja llevar por prejuicios patrióticos, y se muestra en acuerdo absoluto con las doctrinas de aquella escuela literaria (mal llamada clásica) a la que pertenecía tanto él como el autor a quien admira. En esta disputa la verdad cae, como ocurre a menudo, aunque *no siempre,* entre los dos extremos. Moratín, bien que no haya igualado a los grandes dramaturgos de otros países, ni quizá a los antiguos españoles, tiene méritos poco comunes, y se eleva considerablemente sobre la mayoría de los autores modernos de comedias.

El severo crítico mencionado antes en primer lugar le ha atacado, y creemos que con justicia, por sus ideas sobre la poesía cómica expuestas en el prefacio de la edición parisina de sus obras[104]. Con todo, esos principios no son ni más ni menos que los reconocidos y seguidos por todos los críticos y escritores franceses de la escuela clásica. Un argumento que ilustra una lección moral, cierta imitación de la naturaleza, pasiones y cualidades personificadas en formas generales, más que individuales, en las *dramatis personae,* tal es la teoría de Moratín, y tal es su práctica. El autor que vive bajo la autoridad de tales leyes, y escribe obedeciéndolas, no puede nunca elevarse a las altas regiones de la poesía; o ignora su existencia, o niega su realidad: la creación de seres ideales le parecerá imposible y absurda. Y sin embargo, fue en España donde se creó a Don Quijote, personaje que lejos de ser una generalización o la personificación de algo abstracto, es un hombre cuya existencia tiene todas las apariencias de la realidad, porque nos lo presentan con todos esos mil pequeños toques del personaje individual que diferencian a cada uno de nuestros conocidos en la vida diaria.

Crear tales seres no era el blanco a que apuntaba Moratín, ni ello, además, estaba al alcance de sus fuerzas. Trazó con gran propiedad y vivacidad las costumbres y formas de la sociedad española, y desde este punto de vista hay mucho que admirar en sus personajes. Su don Roque y Muñoz, en *El viejo y la niña,* son fieles a la naturaleza y a las costumbres de la nación. Todas las figuras de *La comedia nueva* son acreedoras al mismo encomio, tanto las que son retrato de individuos conocidos, como las que representan a las diferentes clases que pueblan la capital de España. Doña Clara, la heroína de *La mogigata,* es en cambio un completo fracaso; Moratín tenía ante sus ojos *Le Tartuffe,* y la doña Clara de Calderón en *Guárdate del agua mansa,* y mientras aprovechaba estas figuras, en sus esfuerzos por añadirles algo de su cosecha, se desorientó completamente. Los dos hermanos son copia de la pareja de *L'Ecole des maris* de Molière (3), hasta algunos de sus parlamentos están traducidos; pero en cambio don Claudio y su criado, y el sirviente del convento, están trazados de mano maestra. Doña Irene, don Diego y la muchacha, doña Francisca, en *El sí de las niñas,* poseen gran mérito como personajes bien delineados; mas el teniente coronel Don Carlos constituye un flagrante absurdo, y podría pasar por el retrato de un escolar sin experiencia gozando de la libertad y tumulto de un día festivo.

Otro gran defecto que podría achacarse a este dramaturgo es su carencia total de imaginación. Sus argumentos son pobres, faltos de interés; de hecho, apenas merecen tal nombre. De ahí que sus comedias no sean sino diálogos inteligentes. Cuando trata de ofrecernos un asunto, se muestra más propenso a utilizar materiales existentes que a inventar: *La mogigata* es un compuesto de *Le Tartuffe, L'Ecole des maris* y el final de *L'Avare*. Esta ausencia de imaginación va acompañada también de percepción y sentimiento deficientes; por eso los personajes elegantes, refinados, están mal delineados, y adolecen todos ellos de vulgaridad y aun ordinariez, mientras las escenas apasionadas no son menos torpes. A veces, sin embargo, podía llegar a lo patético. En *El sí de las niñas* algunas escenas del acto tercero, particularmente la de Don Diego y Doña Francisca, contienen no pocos rasgos de ternura.

Pero las comedias de Moratín tienen un encanto que compensa sobradamente todas sus deficiencias: el diálogo vivaz y natural. En muchas otras obras teatrales los personajes parecen expresarse como en un libro; en las de Moratín hablan siguiendo el impulso del momento. El estilo idiomático de la conversación española, salpicada de frecuentes proverbios, está fiel y vívidamente reproducido en sus comedias; y esta facilidad y soltura, tan difíciles de lograr, es su mérito principal, no confinado por otra parte a sus obras en prosa. Tres de las cinco comedias que ha dejado están escritas en verso, en esa rima a medias peculiar de los españoles que se llama «asonante». Pues bien, los impedimentos de esta versificación en modo alguno le estorban. En todo momento mantiene el mismo estilo fácil y coloquial, y al par que la versificación es correcta y nerviosa, nada hay en ella que no pudiera ser dicho en prosa familiar. Moratín tiene también en ocasiones brillantes salidas de ingenio; pero sus escritos destacan más, en general, por su humor —un humor español, claro está.

Estos son los méritos que han asegurado a sus composiciones dramáticas el aplauso y admiración de sus compatriotas, los cuales se divierten con todos sus chistes y reconocen en ellas un cuadro vivo y fiel de las costumbres españolas, mostrándose no menos sensibles a las bellezas de un estilo que las hermosea y les da acusado relieve. Como declaró el propio Moratín, su ambición consistió en vestir la comedia con basquiña y mantilla (el vestido de calle de las damas españolas), y pudo enorgullecerse (como en efecto se enorgulleció) de haberlo conseguido plenamente. No es, pues, sorprendente que sus compatriotas se deleiten ante una musa literaria que viste la indumentaria nacional y más en boga de la mujer española. Un autor puede alcanzar fama transitoria por capricho de la moda; pero la popularidad de Moratín entre los españoles no tiene este carácter pasajero e inseguro: sus comedias hacen reír espontánea y fuertemente al espectador.

Sin llegar, pues, a los extremos que se han permitido algunos de sus admiradores, no vacilamos en colocar sus comedias entre las más notables producciones de los poetas españoles modernos.

Moratín ha intentado también la poesía lírica y la satírica, pero en ninguna de las dos ha sobrepasado el nivel de la mediocridad aceptable. Tiene corrección, su lenguaje es un tanto nervioso a veces, su versificación fluida y sonora, pura la expresión; mas no pasan de aquí sus méritos. Hay, sin embargo, en sus versos a la muerte de Don José Antonio Conde una sensibilidad y patetismo que en cierta medida los hacen superiores al resto de sus composiciones. El soneto a la muerte de Meléndez es digno de mención por su cálida y vibrante indignación, excitada por el destino de la persona que lo inspira, a quien la persecución política vino a sepultar en tierra extranjera. Tampoco faltan en algunas de sus sátiras versos atrevidos.

Moratín no se limitó del todo a su producción original. Publicó dos buenas traducciones de Molière [105]; pero en su intento de verter al español una obra de más altos vuelos, fracasó rotundamente. La obra no era otra que

Hamlet y quizá su atrevimiento y su fracaso le impidan para siempre ser conocido entre los ingleses, cuya justa y entusiasta admiración por Shakespeare no está exenta de beatería. El crítico de la *Foreign Quarterly Review* mencionado anteriormente tenía razón al decir que Shakespeare era un libro cerrado para Moratín. El dramaturgo español no solamente era incapaz de comprender una poesía tan imaginativa y elevada como la del bardo de Avon, sino que mostraba deficiencias en el primer requisito de todo traductor: suficiente dominio de la lengua que ha de verter a la propia. La excesiva vanidad de Moratín le engañó haciéndole creer que era un consumado «scholar» inglés, porque podía traducir unas cuantas frases, siendo así que su gran ignorancia le hizo confundir *canon* con *cannon*. ¡Y se burlaba de Shakespeare por el anacronismo de introducir la artillería en una fábula de tiempos tan antiguos! [106] La verdad es que el poeta español conoció al inglés a través de Voltaire, y por intervención suya, aun siendo intérprete tan infiel, entraron los dos en contacto. La irónica traducción de *Julio César* que el divertido escritor francés añadió a sus comentarios sobre Corneille, fue indudablemente el modelo seguido por Moratín [107].

Se sabía que Moratín había escrito una historia del teatro español, obra a la que tanto él como el público atribuían una gran importancia, y se comprende: ver las numerosas obras dramáticas de autores españoles juzgadas por quien era considerado el primero de los dramaturgos vivientes, tenía que suscitar mucho interés. Aunque Moratín modeló sus propias composiciones según los principios de la escuela francesa y latina, tenía la más profunda admiración y respeto por los dramaturgos españoles antiguos. ¡Hasta llegó a decir que sus delirios eran preferibles al buen sentido de los pseudopoetas coetáneos suyos! Y sin embargo, a pesar de tan absurda afirmación (dicha en favor de los respetados antiguos), sus teorías sobre la comedia se oponían diametralmente a las que constituían el fundamento de las obras que profesaba admirar; mientras que las faltas que condenaba en los autores de su tiempo habían sido imitadas de los antiguos padres del drama. Cómo podría reconciliar estas contradicciones y combinarlas dentro de una crítica consistente, es cosa que despertaba curiosa expectación. Sin embargo, Moratín pedía un precio tan exorbitante por los derechos de su obra que no hubo librero que la quisiera comprar, y falleció mientras negociaba la venta. A su muerte el Gobierno español compró el manuscrito, que ha sido publicado para desilusión de los lectores, pues sólo se ocupa de obras dramáticas anteriores a Lope de Vega, es decir, que acaba cuando empezaba el florecimiento del teatro español [108]. Por otra parte, la obra contiene más erudición que crítica; pensada para entretenimiento e instrucción del bibliógrafo, apenas puede interesar al lector corriente. Aun la erudición deja que desear; al paso que contiene largos extractos de obras poco o nada conocidas, pertenecientes al período más antiguo del teatro español, deja sin nota o comentario muchas otras de la misma época que tienen interés; prueba del descuido del autor o de su ignorancia.

El segundo de los poetas que Meléndez designó como principales discípulos suyos, don NICASIO ALVAREZ DE CIENFUEGOS, es un escritor cuya fama ha descendido hoy tanto cuanto fue elevada antes. Amigos poco juiciosos lo celebraron por cualidades que no poseía. Sus excentricidades fueron elogiadas como incontrolables vuelos del genio, cuando en realidad surgían de la pobreza, y no exuberancia, de su imaginación, y eran convulsiones de la flaqueza más que del juego caprichoso del vigor superabundante. Confesamos que esta opinión nuestra está en directa contradicción con la generalmente admitida en España, no sólo por los panegiristas de Cienfuegos, sino también por aquellos que mientras condenan su estilo no creen que sus faltas tengan el origen aquí señalado. Esperamos, no obstante, que la justicia de nuestro parecer será reconocida por el crítico perspicaz, el cual, al examinar obras de arte y verdadero genio, sabe distinguir entre el entusiasmo real y el ficticio.

Cienfuegos fue un hombre honrado y cabal, que pensaba rectamente y había abrazado una filosofía cuyo principio esencial era la benevolencia. A su defensa dedicó su pluma y, lo que le honra más todavía, sacrificó la vida a su generoso patriotismo. Pero sus sentimientos, aunque honrosos y sinceros, y hasta cierto punto fervorosos, no podían, actuando sobre un temperamento frígido y una imaginación tarda, configurarse en imágenes apropiadas o en producciones de patetismo genuino y natural; de ahí que en su deseo de ser enérgico, llegara a ser extravagante. Fue como un mudo que, incapaz de expresar sus pensamientos como los demás, recurre a una vehemente gesticulación para suplir su deficiencia de palabra. El dialecto que él creía poético no pasa de ser una mezcla sin sentido de frases arcaicas, vocablos caídos en desuso, galicismos, giros de nuevo cuño y epítetos traídos por los cabellos.

Cienfuegos se complacía en aquel estilo poético abundante en personificaciones, en virtud del cual un poema es algo así como una galería de estatuas, o más bien, según se ha dicho con tanto rigor como justicia, de figuras de cera. En su breve poema «La escuela del sepulcro» la Eternidad está representada como un ser gigantesco, sentada al borde de un precipicio y lanzando siglos al abismo; el Hombre, caminando por la senda de la vida y súbitamente acechado por la Muerte, apostrofa la tumba de Alejandro y le reprende por ocultarse en vez de decir dónde está. En ninguna de sus obras llega el falso entusiasmo a tanta altura como en los poemas «Primavera» y «Otoño», en donde su fervor por las bellezas de la naturaleza y las costumbres suizas llega al delirio, aunque las conocía tan sólo por descripción, y raras veces dejó de perder de vista las cúpulas de las iglesias de Madrid. En el «Otoño» se entrega, con motivo de las fiestas de la vendimia, a tan imposibles excesos, que hace naturalmente sospechar al lector que está en presencia de un abstemio disfrazado, bien dispuesto a remedar la jovialidad de un compañero alegre. Un nauseabundo sentimentalismo, consecuencia natural de sus falsos principios, es también tacha corriente en este autor. La puerilidad que con justicia se le ha reprochado a Wordsworth, aunque ampliamente compensada por grandes bellezas, se encuentra a menudo en las obras de este poeta español, en marcado contraste con su extravagante ampulosidad.

Mas con todos esos defectos, no puede negarse que la poesía de Cienfuegos tiene sus bellezas. A veces, aunque no a menudo, su extravagancia se convierte en verdadera energía; a veces, sus imágenes son grandiosas y originales, y su sensibilidad, cuando por azar adquiere feliz expresión, impresiona favorablemente al lector. Estos méritos, aunque raros, pueden justificar en cierta medida la indulgencia y parcialidad con que lo han mirado muchos de sus compatriotas.

Cienfuegos escribió y publicó cuatro tragedias. Un crítico mencionado anteriormente (el traductor de las Lecciones de Blair) no obstante el rigor, casi siempre justo, de sus juicios sobre la poesía española, ha mostrado inexplicable lenidad en la sentencia dictada sobre esos dramas: «La posteridad —dice— pondrá en el lugar que les corresponde a las tragedias de Don Nicasio Alvarez de Cienfuegos, el primero de nuestros autores que ha dado el estilo y tono adecuados a esta clase de composiciones» [109]. La posteridad ha dado su fallo, y lejos de confirmar opinión tan favorable, ha condenado al olvido dichas tragedias. En vano buscará el lector en ellas el trazo de un carácter o el despliegue de una pasión. Combinan la frígida regularidad y el inanimado reposo de la escuela clásica con las peores faltas de la pseudorromántica; ni siquiera la indulgencia del público español ha permitido que sean representadas. Cienfuegos escribió también una breve comedia, *Las hermanas generosas,* que es todavía inferior a sus tragedias [110].

Por otra parte, poseía un gran conocimiento de la lengua castellana que tan mal escribía, y nos ha legado una obra muy respetable sobre sinónimos españoles [111]. También se ha admitido que, aunque afiliado a una mala causa, fue digno rival de Capmany.

Ya hemos dicho que como hombre el poeta dio pruebas de elevado carácter. El final de su vida no pudo ser para él más honorable. A pesar de su admiración por los principios franceses, y su bien conocida aversión a la tiranía civil y religiosa, no pudo ver en los partidarios de Napoleón a los regeneradores de España, y por sostener virilmente la causa de la independencia nacional fue conducido ante Murat, jefe entonces de las fuerzas imperiales en España, y amenazado con ser pasado por las armas. Escapó de este peligro, sin rescatar su vida mediante ningún acto de baja sumisión, y cuando los franceses ocuparon Madrid por segunda vez, bajo el mando del propio Napoleón, fue perseguido, encarcelado, y sin el menor proceso condenado a destierro y confinamiento en Francia. La tiránica injusticia de este proceder fue agravada por el mal tratamiento de sus carceleros. Ya antes en precario estado de salud, sucumbió a tanta dureza, y murió poco después de su llegada al sur de Francia, en una región densamente poblada por tumbas de escritores españoles. Según la bella imagen de otro poeta.

> Allí la ninfa del Adur vencido
> Quiere aplacar con ruegos
> La inexorable sombra de Cienfuegos [112].

Ya hemos hecho mención de Don MANUEL JOSE QUINTANA en las páginas precedentes al tratar de sus méritos como prosista. Pero aunque como tal haya merecido nuestro elogio, su nombre se eleva a gran altura en el catálogo de autores españoles como poeta; su superioridad —podríamos decir supremacía— ha sido reconocida por las numerosas voces que le han aclamado como al maestro espiritual que preside la literatura española moderna. Sin embargo, su derecho a tan alto honor ha sido firmemente disputado por un bando rebelde, que no solamente se opone a reconocer su rango, sino que le niega también hasta los atributos de poeta. Esta última e injusta actitud ha sido provocada por las faltas reales que abundan en sus versos, y arranca en parte de aquel error de juicio que concede más importancia a la parte mecánica que a la esencia de la composición poética.

No puede negarse que Quintana trabaja con ciertas desventajas como versificador. No posee gran dominio del lenguaje y cuando escribe en rima es claro que la siente como un grillete que le obliga a echar mano de terminaciones difíciles y muy poco oportunas. Su lenguaje está plagado de galicismos y su peculiar fraseología, que bordea en ocasiones la ampulosidad, revela a menudo gran esfuerzo. Parece sufrir de escasez de vocablos, y de ahí que algunos de sus epítetos hayan sido justamente censurados por su escaso acierto. Todas estas son indudablemente graves máculas y si pudieran achacarse a todas sus obras le impedirían ciertamente arrogarse el nombre de poeta, a pesar de la intensidad de sus sentimientos, nada desdeñables en sí misma. Pero aunque Quintana ha escrito malos versos, también ha producido otros de singular belleza; y lo mismo que a menudo cae por debajo de su maestro Meléndez, también a menudo le supera.

Quintana posee lo que en su predecesor era más deficiente: un fondo de inspiración poética. Se imaginó a sí mismo llamado expresamente a ser entre sus compatriotas el apóstol de la libertad, el patriotismo y la ilustración; y bajo la impronta de esos sentimientos llegó a ser eminente como poeta. Viviendo bajo un gobierno absoluto y despótico, aludió valerosamente a la degradación de su amada patria, a los desdichados acontecimientos de la guerra en los Pirineos contra la República francesa, a los desastres de la guerra marítima con Inglaterra, que siguió y fue la condición de la paz con Francia. Tuvo el atrevimiento de describir a los ejércitos españoles «temblando al son de la guerra», y a un escuadrón naval puesto en fuga por la flota inglesa; y luego, en un arranque apasionado, comparar tan lamentable presente con los gloriosos días de la antigua España. Y mientras recordaba que esta mancha sobre el honor patrio era de fecha reciente, y que en tiempos antiguos España adquirió renombre por su patriotismo y valor, él lamentaba no haber nacido en aquella época brillante. Con el mismo espíritu trata de la invención de la imprenta, viendo con entusiasmo las consecuencias que deben seguir a tan importante descubrimiento: la caída de la tiranía y de la superstición. Pensar en el mar, que en su juventud y aun en su madurez, Quintana no había visto nunca (por haber nacido en una provincia interior) despertó en él gran interés y curiosidad:

Que ardió mi fantasía
En ansia de admirar.

Para satisfacer tan fuerte pasión hizo un viaje de Madrid a Cádiz: esfuerzo considerable para un español tranquilo y sedentario en aquellos días en que el viajar, que han hecho tan común las recientes revoluciones, no formaba parte de sus costumbres, a menos que algún asunto importante lo hiciera inevitable. Sobre las arenas de Cádiz lanzó Quintana su «Oda al mar», cuyo principio es hermoso ciertamente, y revela entusiasmo genuino. Pero su favorito y predominante modo de pensar no podía abandonarle ni aun en medio de la excitación del momento. Miró al océano, se le presentaron los ilimitados adelantamientos que podía traer la navegación, y acabó lanzando un indignado anatema contra la guerra como obstructora del progreso y con él de la civilización.

Aunque el poeta prorrumpiera así en invectivas contra la guerra, no pudo dejar de considerarla un mal necesario en las circunstancias de su propio tiempo. Sus sentimientos fueron los de un patriota; se alegró con las glorias y lamentó los reveses de su país, uniendo su destino al destino de su patria. La batalla de Trafalgar fue un desastre nacional; pero aunque hubieran perdido todo lo demás, los españoles no perdieron el honor por haber combatido valientemente. Hubo algo que conmovió a los espíritus en aquella gran acción, desarrollada a la vista de la ciudad marítima más importante de España, en donde el más ilustre de los héroes británicos de su tiempo sucumbió en el momento mismo de la victoria; hubo algo verdaderamente impresionante en la terrible tormenta que siguió al combate y esparció por las costas tanto a las víctimas de los elementos como a las de la guerra. Aquel acontecimiento fue cantado casi sin excepción por todos los poetas de España; y algunos de ellos, por extraño que parezca, extraviados por prejuicios nacionales, hasta llegaron a considerarlo como un suceso que iba a acabar con el poder marítimo de Inglaterra. No fue tal, sin embargo, la visión de Quintana en su muy admirada oda a la batalla de Trafalgar. Para él aquel lugar había sido el Cannas de España; por eso imploraba de sus compatriotas la misma fortaleza de los antiguos romanos bajo el peso de reveses no menos desgraciados. Su lamentación por la pérdida de dos oficiales de la armada española, Don Dionisio Alcalá Galiano y Don Cosme Churruca, ambos celebrados por sus conocimientos astronómicos, es un fino arranque de viril y patriótico dolor.

Cuando se produjo la insurrección de los españoles contra Napoleón en 1808, Quintana estuvo en su puesto, defendiendo resuelto y animoso el honor y la independencia de su país. De sus trabajos en prosa (algunos de carácter oficial) incitando a sus compatriotas a la resistencia, ya hemos hablado antes; las dos odas que llevan el título de «España libre» muestran su ardiente espíritu patriótico y las bellezas de sentimiento que constituyen su más alto mérito como poeta.

Entonces fue cuando publicó otras tres breves producciones que había escrito mucho antes: el poema sobre la expedición a América del Sur para la propagación de la vacuna, la oda a Juan Padilla y el «Panteón del Escorial». La oda a la invención de la imprenta se publicó al mismo tiempo tal como fue compuesta originariamente, pues bajo el dominio de la Inquisición y del poder despótico fue necesario recortar pasajes importantes y darlos mutilados al público. Estos cuatro poemas, juntamente con los dos dirigidos a la España libre, antes mencionados, aparecieron bajo el título de *Poesías patrióticas* (1808).

Al dar cuenta tan detallada de estas composiciones, nuestro objeto ha sido mostrar a nuestros lectores las causas y características de la poesía de Quintana en lo que tiene de valioso, pues sólo cuando aborda temas que inflaman su propia y peculiar inspiración es digno de ser destacado y elogiado. Sus escasas composiciones amatorias son aburridas y carecen de vida.

Quintana ha escrito dos tragedias, que hasta se han representado y acogido con aprobación; pero poseen poco valor dramático, si acaso tienen alguno, y son enteramente francesas por su estilo. *El Duque de Viseo* (1801), la primera de ellas, contiene algunos versos hermosos y animados, y la descripción de un sueño, que es más poética que dramática; pero estos méritos apenas compensan la ausencia de un buen argumento y fábula interesante, de caracteres vívidamente trazados y de pasiones expresadas con fidelidad. Su segunda tragedia, *Pelayo* (1805), se eleva a alguna mayor altura; el asunto complacía extraordinariamente al autor. La victoriosa resistencia de aquel medio fabuloso personaje contra los árabes, entonces invasores y conquistadores de España, es tema de una de las más populares tradiciones corrientes entre españoles, que reverencian a Pelayo como restaurador de su independencia nacional y fundador de la monarquía española que sucedió a la visigótica. La tragedia, como cabía esperar, apenas es más que una de las odas patrióticas de Quintana en diálogo. Rebosa entusiasmo nacional y abunda en versos vibrantes. La versificación de algunos pasajes es admirable, el argumento es bueno, y sin embargo nos agrada como poema más que como drama. No nos sentimos arrebatados por nuestras simpatías; escuchamos con placer y aprobación, pero sin que sus escenas nos estremezcan ni fuercen nuestras lágrimas. El propio autor aparece en todos sus personajes; de hecho, nadie menos calificado que él para sobresalir como dramaturgo.

Quintana ha pasado por las aflicciones y desgracias comunes a casi todos los literatos de España que aún están en vida. Aunque nunca tomó asiento en las Cortes, ni formó parte de la administración constitucional, se le tuvo por uno de los dirigentes del partido liberal, y en consecuencia fue perseguido en 1814 [113]. Durante la segunda revolución (de 1820 a 1823) se abstuvo cuidadosamente de tomar parte activa en los sucesos de entonces, ni siquiera prestando su asistencia como escritor para agitar o aplacar la fermentación popular existente. Así vino a evitar la deplorable necesidad de convertirse en un emigrado político. Permaneció en España sin ser molestado, aunque privado de sus cargos, y pasó varios años en absoluta oscuridad y pobreza. Al final, el gobierno se acordó de él. Para proporcionarle un medio de subsistencia se creó una plaza de escasa importancia, pero con una singular condición: el rey de España, a punto de contraer matrimonio con su cuarta mujer, manifestó el deseo de que Quintana escribiera un poema sobre tan fausto acontecimiento. El gran patriota se enorgulleció siempre de no haber escrito *nunca* una sola línea en elogio de quienes ocupaban el poder; pero las circunstancias le obligaban ahora a renunciar a distinción tan honorable. Quintana no fue nunca muy feliz en sus composiciones cuando abandonaba su propia senda, y ni el casamiento, ni la novia o el novio le brindaban en esta ocasión motivo propicio alguno para poetizar. Cumplió no obstante el encargo, y resultó una curiosa composición, precedida de una dedicatoria en verso a Su Majestad, en la cual podría decirse que viene a protestar contra la compulsión de que había sido víctima: El rey —viene a decir— lo quiso, ¿y cómo podría resistirle un hombre acabado por los años y las aflicciones? [114] Este singular lenguaje no disgustó en modo alguno al monarca, y así, bajo un gobierno muy poco dispuesto a tolerar ninguna oposición, la protesta se imprimió juntamente con el poema. Ahora bien, la misma pobreza de la composición fue la mejor protesta por parte del autor; nuestro respeto por Quintana nos impide decir más. Se ha afirmado que su oda era la mejor de las escritas con tal motivo. No estamos en condiciones de contradecir este aserto, por no haber llegado las otras a nuestras manos; mas si ello es cierto, los méritos de las demás deben ser en verdad insignificantes.

Mientras los tres últimos poetas nombrados compartieron su fama con Meléndez en vida suya, don JUAN BAUTISTA ARRIAZA se hizo conspicuo entre otras gentes contendiendo por la supremacía en la poesía española.

Este prolífico escritor poseía brillante imaginación, pero es notable sobre todo por su ingenio y humor, no menos abundantes. Componía con gran facilidad, dominaba totalmente los recursos de la versificación, pero carecía por completo de sentimiento.

La desgracia de Arriaza fue la de haber empezado a escribir antes de haber empezado a leer. Esto podía ciertamente no haber sido un obstáculo para convertirse en gran poeta, de haber sido su propio genio de otra condición, o las circunstancias en que empezó a escribir más favorables para el desarrollo del genio, aun en personas faltas de educación. No es que Arriaza careciera de ella, por otra parte. Pero no sintió el fuerte soplo interior de la inspiración en la soledad de los campos, ni en aquella humilde condición de vida en donde la disparidad entre el estado externo del hombre y sus aspiraciones internas le hacer volver más fuertemente sobre sí mismo para comunicarse con el espíritu que late en su pecho. Arriaza se crió en la sociedad. Fue oficial del ejército y luego de la marina, y participó en las diversiones de la vida social. Su ingenio, más que su sensibilidad, le impulsó a escribir poesía. Sus primeras producciones fueron simplemente de la especie que llaman los franceses *vers de société,* y las huellas de este falso estilo son perceptibles en todas sus composiciones posteriores.

Arriaza es celebrado con justicia por sus obras satíricas. En ellas es incisivo e implacable, ingenioso, humorístico y vulgar. Pocos de sus contemporáneos, quizá ninguno, han escapado a sus sarcasmos; ni siquiera se libran los poetas extranjeros, pues al mostrarse severo con ciertos traductores del francés, no se ha contentado con señalar los defectos de sus versiones, sino que ha extendido su hostilidad contra los originales. Dos tragedias francesas, *La mort d'Abel,* de Legouvé, y *Les Venitiens,* de Mr. Arnault, académico francés, fueron traducidas al español, la primera vertida elegantemente por Don Antonio Saviñón, deplorablemente la segunda por Don Teodoro Lacalle. Las dos fueron recibidas con extraordinario aplauso, atribuible en parte al gran talento desplegado por el actor español Isidoro Máiquez, que tomaba parte en ellas [115]. El mismo éxito fue lo que suscitó la cólera de Arriaza, pues su malevolencia (como observó Saviñón) era notoria: odiaba a los poetas dramáticos por ser él mismo incapaz de escribir dramas, y a cualquiera otra especie de poetas, por considerarlos rivales. Sus dos sátiras sobre las obras mencionadas tienen mucho ingenio y fuerza poética, aunque la de *Les Venitiens* es infinitamente superior. El autor parece indignarse patrióticamente ante el mal gusto de los escritores y auditorios españoles por haber abandonado las antiguas comedias de Lope y Moreto en favor de las bufonadas francesas, y sin embargo, en esa misma composición cita a Racine como el mejor modelo de autor trágico, y no solamente elogia *Phèdre* y *Andromaque,* sino hasta *Bérénice,* cuya insignificancia dramática ha sido admitida por los críticos franceses; prueba de que las ideas de Arriaza eran un tanto vagas y confusas y que, después de todo, en su fuego patriótico había más ardor que llama [116].

En aquellas dos ocasiones mencionadas ya por haber dado materia abundante a las musas españolas (la batalla de Trafalgar y la insurrección de 1808) Arriaza elevó también su voz con no poco crédito. Su oda a la batalla de Trafalgar no iguala a la de Quintana, pero en su poema «La profecía del Pirineo» hay bellezas que no se encuentran en el resto de su poesía. Es curioso que publicase esta composición anónimamente, y aunque su estilo era bien conocido por los críticos españoles, ninguno sospechó que fuera suya, bien que no faltaron hipótesis acerca del autor de la obra. Se trata de una imitación de la famosa «Profecía del Tajo» de Fray Luis de León, y una imitación magistral. La gran imagen de Napoleón elevándose sobre los Pirineos y mirando triunfante hacia España, los ojos fulgurantes de cólera y perfidia, y la no menos espléndida concepción de la figura que se alza para echarle en cara sus crímenes y predecir el fracaso de su ambiciosa empresa, son dignas de colocarse entre las más imaginativas de la poesía. Toda la oda está llena de sorprendentes bellezas, mezcladas, sin embargo, con algunas ingeniosidades e imágenes frívolas poco acordes con la austera grandeza de la composición.

Este, aunque el más feliz de los poemas patrióticos de Arriaza, no es el único: su pluma estuvo constantemente dedicada a la tarea de alentar a sus compatriotas en el mantenimiento de la independencia y el honor de España. Muchos de los animados himnos que compuso, acompañados de apropiada música, fueron canciones populares durante la guerra. Escribió también numerosos sonetos sobre el mismo tema; uno de ellos, dirigido al duque de Wellington felicitándole por su triunfo en la batalla de Vitoria, puede mencionarse para ilustrar su falta de gusto. Termina con un juego de palabras:

> Llamadle vencedor de vencedores,
> Y a su triunfo Victoria de Vitoria.

Los versos amatorios de este poeta son agradables, pero pertenecen más al lenguaje de la galantería que al de la verdadera pasión. Arriaza es ciego para las bellezas y sentimientos naturales. Su imaginación no se separa nunca de las reuniones públicas; allí lo aplaudieron y de ellas deriva su inspiración. Hasta en su poesía patriótica hay más rencor y cólera contra el enemigo que generosa indignación.

Arriaza ha escrito poco desde la guerra de la independencia. Ha rendido, no obstante, tributo de adulación a Fernando VII, aunque antes hizo lo mismo con Godoy, enemigo y perseguidor de Fernando. También publicó una oda conmemorando el triunfo de los franceses contra España titulada «La Restauración de 1823». Todas estas obras revelan, sin embargo, un gran decaimiento de sus facultades; pero en una ocasión volvieron a surgir con el vigor de sus mejores días. En 1820, poco después de la revolución que restauró la Constitución de 1812, Don Luis de Onís, diplomático de carrera, fue nombrado Ministro plenipotenciario de España ante la Corte de Nápoles. Sus amigos se reunieron con él en un banquete para agasajarle por el nombramiento. Entre ellos estaba Arriaza. Como su facilidad de improvisación era bien conocida, le rogaron que la emplease tomando pie en la ocasión que los había reunido a todos; aceptó, y el resultado fue una de sus más felices improvisaciones. Aunque nunca había sido amigo de instituciones políticas libres, ni ocultó nunca —hay que hacerle justicia— su desafecto por los constitucionalistas, en aquella ocasión le dio por entonar un himno a la libertad. Presentó al diplomático español como apóstol de los principios libres o revolucionarios que iba a anunciar al degradado reino de Nápoles la restauración de la libertad española, y a despertar, como Tirteo, en las musas napolitanas, hasta entonces sólo acostumbradas a los acordes de la servidumbre, el noble oficio de cantar la virtud y la patria. Esta caprichosa incursión por los campos de la política fue seguida de una espléndida descripción del Vesubio y la comparación de sus erupciones volcánicas con el atrevido valor de Riego, que había destrozado el edificio del despotismo español. Los versos de Arriaza fueron impresos y elogiados; su fama llegó a Nápoles y el gobierno de aquel reino se estremeció ante la idea del inminente peligro. El poeta cortesano se transformó en un feroz jacobino, cuyo entusiasmo, sobreponiéndose a su discreción, vino a revelar el plan revolucionario preparado por su propio gobierno, del que iba a ser instrumento su amigo el embajador. En consecuencia, a Don Luis de Onís se le prohibió entrar en territorio napolitano, y hubo de permanecer en Roma hasta que una inesperada e imprevista revolución en Nápoles, que el gobierno español estuvo muy lejos de desear por las complicaciones y peligros que podía acarrearle, pareció cumplir las predicciones del poeta y corroborar la sospecha de que en el fondo hubo algo mucho más serio que la casual inspiración de un jovial convite. La desolación de Arriaza con este motivo, viéndose convertido equivocadamente en un demócrata, fue verdaderamente cómica, y no menos la grave e indignada desaprobación de los principios que había defendido en su improvisación poética.

Arriaza no se limitó por completo a la poesía, pero sus producciones en prosa, escasas y breves, son de muy poco valor para hacerle figurar entre los buenos prosistas de la España moderna. Durante algunos meses residió en Inglaterra, pagado por el gobierno de su país, para escribir contra Blanco White, que redactaba entonces su periódico mensual *El Español.* En esta guerra de libelos mostró cierto humor e ingenio, pero de ningún modo pudo rivalizar con su adversario [117].

Muchos poetas coetáneos de los precedentes, pero inferiores a ellos en celebridad y mérito, florecieron en España; algunos de los cuales merecen citarse en la historia de la literatura española.

Don FRANCISCO SANCHEZ BARBERO es digno de mención como autor de una hermosa elegía a la muerte de la Duquesa de Alba, dama muy conocida y de dudosa reputación, que aunque desprovista de la pureza moral que es el mayor encanto de la mujer, fue muy querida de sus compatriotas por su generosidad, su simpatía, su cordialidad y la protección que dispensó a la literatura y los literatos. Sánchez Barbero escribió también una vibrante oda a Colón, y tres o cuatro descriptivas de los acontecimientos de Trafalgar [118].

Esta batalla dio asimismo motivo para una canción a doña MARIA ROSA GALVEZ, cuyos escritos hemos tenido el penoso deber de mencionar anteriormente en términos de grave censura. Era una mujer inteligente y poseía gran facilidad de composición; pero ni uno solo de sus poemas, ya líricos o dramáticos (y entre estos últimos hay que contar tanto comedias como tragedias) es digno de mucho encomio, exceptuando quizá su animada comedia *Un loco hace ciento,* que fue bien acogida y está llena de chistes y situaciones cómicas y desenvueltas, no exenta, sin embargo, de extravagancias, rasgos caricaturescos y vulgaridad [119].

La misma derrota de Trafalgar fue igualmente conmemorada por don JOSE MOR DE FUENTES, caballero muy estimable e instruido, escritor laborioso en prosa y verso y autor de una novela titulada *La Serafina.* Sus virtudes personales nos hacen pasar gustosos sobre sus obras sin someterlas a riguroso examen [120].

Sentencia un tanto más leve puede recaer sobre la poesía del CONDE DE NOROÑA. Su oda a la paz (entre España y Francia en 1795), aunque gozó de gran celebridad, es en realidad mediocre; en general sus obras, bien que de un gusto correcto, son todas insulsas y adocenadas. Este poeta, no obstante, se ha aventurado a escribir un poema épico. Cabía esperar que semejante obra produjera cierta sensación, aunque no fuese más que por ser trabajo de mucha más envergadura que los corrientes en poetas españoles, pero nació muerta de la imprenta y pasó inadvertida hasta para la crítica; la existencia de los dos pequeños volúmenes, lindamente impresos, que la contienen es sólo conocida de unos pocos escogidos. El poema se titula *La Ommiada,* y el asunto es un episodio de la historia de los árabes españoles. Escrito en verso libre, es, no obstante su correcto estilo, prosaico, insípido y deficiente en todo lo esencial a la poesía [121].

Don EUGENIO DE TAPIA es otro poeta de muy parecida condición; pero su poesía *suena* mejor, sin que pase de ser una serie rimada de pensamientos triviales [122]. Como traductor ha tenido más éxito. Su versión de *Alexander's Feast* de Dryden contiene muchos versos hermosos, aunque le falta la energía y simplicidad del original. Esta oda inglesa fue traducida asimismo por el Conde de Noroña y otro autor español. La versión de Don Eugenio Tapia es, con todo, la mejor de las tres [123].

Don JUAN MAURY dio tempranas y prometedoras muestras, sobre todo en su poema «La agresión británica», basado en la captura de unas fragatas españolas en 1804, tiempo de paz, por el gobierno inglés. La versificación es enérgica y sonora, y aunque a veces cae en lo declamatorio, algunas de sus imágenes son originales y poéticas. En sus composiciones ligeras hay más facilidad y gracia de lo que el estilo de su largo poema haría esperar al crítico. El mundo literario le es también deudor por una publicación tan útil para el lector general como merecedora de elogio por el gusto y capacidad que revela en el autor: una antología de la poesía española desde sus orígenes hasta el presente, traducida por el propio Maury en verso francés; y como proponiéndose aumentar las dificultades de su labor, adoptando en su versión casi los mismos metros que los de las composiciones originales, la mayoría enteramente desconocidos en la poesía francesa. Las traducciones van acompañadas de notas críticas en donde los poetas españoles y sus respectivas obras se juzgan con tino e imparcialidad. Esta obra singular fue muy elogiada por uno de los mejores críticos actuales de la literatura española, el Sr. Blanco White, en su *London*

Review [124]. Creemos justificado incluirla en estas páginas, aunque escrita en lengua extranjera, por tratar de poesía española y ser obra de un español.

Mayor elogio merece don JUAN NICASIO GALLEGO, que se elevó extraordinariamente en la estimación de sus compatriotas con unas pocas composiciones. Su breve poema sobre los sucesos del 2 de Mayo de 1808, en que el populacho de Madrid se levantó contra sus traicioneros huéspedes franceses, y la cruel matanza de que fue objeto acabada la lucha, despertó gran interés, y es en efecto digno de aquella ocasión, que contribuyó en grado no escaso a la insurrección general de los españoles. La oda es ciertamente un noble poema. La personificación de España, sentada junto a unos cipreses, al lado de la tumba de sus hijos, bajo la tenue luz de una luna pálida y fría, el manto desceñido, los ojos llenos de lágrimas y fijos en el cielo, con el cetro de dos mundos destrozado en el suelo y manchado por el polvo, y el fiero león (símbolo nacional) recostado a sus pies y expresando su vergüenza y dolor con un reprimido y melancólico rugido, forman una imagen que cualquier pintor o escultor se hubiera complacido en hacer suya. No menos grandiosa es la personificación del río Guadalquivir, escuchando con encendido semblante el grito de guerra de los españoles, apoderándose de la lanza de Fernando III, el héroe-santo, y corriendo hacia el mar clamando guerra y venganza. No faltan tampoco aquellas bellezas de sensibilidad humana que corresponden a una poesía de primer orden. La composición es asimismo fastuosa en su estilo —quizá demasiado—, y su versificación fluida y vigorosa; mas con todo esto, esas personificaciones, por espléndidas que sean, no casan bien con la tristeza de un espíritu indignado que llora sobre unas víctimas cuya muerte estaría dispuesto a vengar, a juzgar por el estado de espíritu en que la oda parece concebida. El mismo autor ha publicado otra oda sobre la victoria lograda por españoles e hispanoamericanos en Buenos Aires en 1807.

Después nos ha dado algunos poemas más, muy pocos, pero todos agradables, algunos enérgicos, y en general con gran dominio del lenguaje y de la versificación. Entre sus obras menores se ha admirado mucho el soneto al Duque de Wellington en la conquista de Badajoz, sobre todo en sus versos finales [125].

En virtud de estas obras, Gallego figura entre los primeros poetas españoles del día, y se le reconocen méritos de un orden superior al que hasta ahora ha mostrado. El que su fuerza creadora no se haya manifestado como corresponde se atribuye a su notoria indolencia. Pero un crítico imparcial se detendrá un momento antes de ratificar tal juicio: unos cuantos y animados trazos de imágenes gigantescas pueden dar crédito a la fantasía de un poeta, y se hace también acreedor de elogio por la habilidad en el mecanismo de su arte, si además el lenguaje es fluido y sonoro; mas en realidad es, en su manera de delinear el carácter personal, en el férvido lenguaje expresivo de la pasión, en sacar a luz los secretos de la naturaleza y los misterios del corazón humano, donde se revela el poeta de alto rango; y estos dones supremos están ausentes en la obra de Juan Nicasio Gallego.

Entre los poetas menores, bien que meritorios, de la España moderna se cuenta por derecho propio EL DUQUE DE FRIAS. Cuando muy joven todavía perdió a su esposa, poco después de unirse a ella, expresó su dolor en verso. Esta elegía fue admirada por el público, y con razón. Desde entonces ha publicado varias composiciones que han aumentado su fama, y últimamente una oda con motivo de la distribución de premios de la Real Academia de San Fernando, que se eleva por encima de sus restantes producciones, y en algunas partes sobre el nivel medio de la poesía española [126].

Mientras se manifestaba así la literatura en la capital de España, la voz de la poesía, como hemos dicho, no estaba silenciosa en las provincias. La diferencia entre literatura metropolitana y provincial, que apenas puede notarse en Inglaterra, existe sin embargo en Francia, y podía señalarse amplia y claramente en España hasta el año de 1808. Sevilla, siempre famosa por sus poetas desde los días de Herrera, Rioja, Arguijo y otros, aspiraba a revivir la escuela de la poesía andaluza. En este empeño, sin embargo, los escritores sevillanos copiaron las faltas de Herrera, que no son pocas en verdad, aunque compensadas por bellezas no menores, e hicieron uso de un arcaico y afectado estilo, extravagante a menudo, y siempre oscuro.

La idea, buena únicamente para niños de escuela, de escribir en competencia sobre un asunto determinado, fue adoptada por los autores sevillanos [127]. Escogieron como tema de sus versos la Pérdida de la Inocencia o la Caída de Adán para desarrollarlo en un poema de dos breves cantos. No puede encomiarse el juicio de quienes hicieron la selección; la idea de rivalizar con Milton debió ocurrírseles a los proponentes, con el resultado de contraponer una diminuta y pobre miniatura a todo un cuadro gigantesco y espléndido. A ninguna academia se le ocurrió nunca seleccionar como asunto adecuado para el ejercicio de la fantasía de diversos autores la ira de Aquiles, los viajes de Ulises, la fundación de Roma o la liberación de Jerusalén, especialmente cuando se ponían estrechos límites a la composición. De los poemas que se escribieron se publicó el que ganó el premio; su autor, don FELIX JOSE REINOSO. Las pocas buenas estrofas que contiene no bastan para compensar la falta total de interés. Hay en la obra algunas buenas descripciones, pero la versificación, aunque plena y sonora, lleva trazas del esfuerzo que costó, y el estilo, aunque correcto y elegante, es desagradablemente afectado; y sin embargo, gozó un momento de celebridad, hoy desvanecida. Quintana la juzgó de manera más bien favorable en su periódico

Variedades, pero Blanco White, no contento con tal elogio, reclamó más alto reconocimiento a los esfuerzos de su amigo. Quintana, sin embargo, había pecado de parcial, y sin duda alguna las ideas que hoy tiene sobre la poesía el Sr. Blanco White le habrán hecho retractarse (interiormente al menos) del apresurado juicio que emitió en aquella ocasión [128]. Reinoso ha publicado algunos otros poemas, sobre los cuales pueden hacerse las mismas objeciones: insustanciales en el pensamiento, conceptuosos en la forma. El autor parece sobresalir ventajosamente en la prosa.

Su amigo don ALBERTO LISTA posee en más alto grado las cualidades del poeta, y parece sentirse más a gusto que Reinoso escribiendo versos; su imaginación tiene escasa fuerza, pero no está falto de sentimiento. De ello dan buena prueba su Himno al sueño, algunos de sus romances y ciertas odas. Sin embargo, como los demás de su escuela, peca de afectada y retorcida fraseología [129].

Don MANUEL ARJONA publicó poco, pero ese poco justifica colocarle al mismo nivel del poeta últimamente mencionado. A veces es digno de elogio por la profundidad de pensamiento, y su estilo puede recomendarse en algunas ocasiones por su gracia [130].

Don JOSE BLANCO WHITE, el cuarto planeta de la constelación sevillana, no escribió muchos versos, y como poeta es quizá inferior a sus tres amigos; con seguridad, a los dos últimos.

El gran error de todos ellos fue, como ya se ha dicho, seguir a Herrera demasiado de cerca. Por esta razón tuvieron que adoptar un lenguaje especial, que además de pecar de oscuro, llevaba fácilmente a sustituir la poesía por mera fraseología. El mismo engaño padecieron muchos de sus seguidores, que pensaban haberse hecho poetas por haber aprendido a usar un vocabulario extraño y una construcción forzada; a tal extremo llevaron este absurdo los poetas menores de la escuela sevillana que sus obras son a veces escasamente inteligibles.

Vivía sin embargo en Sevilla, al mismo tiempo que los precedentes, un escritor plenamente familiarizado con el lenguaje castellano de los españoles modernos: don TOMAS GONZALEZ CARVAJAL. En rigor, debiéramos haberlo mencionado al hablar de los prosistas, ya que por la pureza de lenguaje y corrección de estilo hay pocos que le igualen y nadie que le supere. Nuestra omisión se debió a la naturaleza de las obras, en su mayor parte sobre temas de escaso interés para el gran público, por ser traducciones y comentarios de los Libros sacros, o tratados de asuntos oficiales; pero González Carvajal es también poeta, y no de poco mérito. Sus obras más logradas son poemas sacros o más bien devocionales, siguiendo a un gran modelo, Fray Luis de León, a quien ha imitado acertadamente, no sólo en el estilo sino en el espíritu, que él ha logrado expresar de modo semejante. Su poesía procede directamente del corazón; sus traducciones de los salmos son felicísimas, mostrando que la obra ha sido un trabajo de amor; pero en su laudable deseo de evitar la ampulosidad, cae a menudo en el extremo opuesto y se hace prosaico y vulgar [131]. Lejos de adoptar los principios de los poetas sevillanos entre quienes vivía, trató de oponerse a ellos. Un cura de aquella ciudad, Don José Roldán, había publicado una oda a la resurrección de Jesucristo, que en vez de mostrar inspiración devota, es sólo notable por sus frases arcaicas y epítetos arbitrarios. Don Tomás Carvajal ridiculizó abiertamente la oda poniendo de manifiesto su afectado lenguaje. Tras esto se produjo en Sevilla, como se ha producido en Inglaterra, una contienda en torno a la existencia de un peculiar «lenguaje poético». Don Félix José Reinoso salió en defensa de la composición tan severamente tratada por Carvajal y de los principios sobre los cuales fue escrita [132]. Como defensor de su causa, Reinoso dio pruebas en la controversia de verdadero humor, saber y habilidad, pero no pudo demostrar que la oda fuera buena; en cuanto a la cuestión general quedó tan lejos de resolverse como al comienzo de la disputa. Según suele suceder, ambos bandos tenían y dejaban de tener razón por partes iguales, ya que por un lado es indudable que la poesía española admite y exige el uso de palabras y frases que sería imposible adoptar en la prosa; y por otra parte es igualmente cierto que rechazar una fraseología natural y sustituirla por una jerga convencional, constituye un error en sí mismo, causa a su vez de otros errores y defectos.

Mientras Sevilla cultivaba con esta asiduidad la poesía, otra ciudad española iba adquiriendo renombre entre sus devotos. Don JOSE JOAQUIN DE MORA, nacido en Cádiz, pero estudiante en la Universidad de Granada, fue uno de los fundadores de una escuela de poetas en aquella antigua ciudad, cuyo solo nombre despierta numerosas asociaciones poéticas en el espíritu de todo español. Pero los versos de Mora no pasan de ser vivaces e inteligentes; tiene escasa sensibilidad y su imaginación es juguetona, no vigorosa; su lenguaje, incorrecto casi siempre y plagado de barbarismos, es a veces, sin embargo, singularmente feliz; su estilo es elegante y su versificación fácil y melodiosa [133].

Un contemporáneo suyo, Don RAMON ROCA, aunque no llegó a cumplir las esperanzas que se cifraron en él, pudo haberlas satisfecho seguramente de haber sido su vida menos corta. El autor de estas páginas ha visto algunos poemas suyos manuscritos que por su valor se salen de lo corriente. Roca perteneció también al coro que hizo oír su voz con motivo de la batalla de Trafalgar, mostrándose no indigno rival de Quintana, a quien superaba en imaginación, ya que no en sentimiento. Roca introduce al lector en la agitación de la batalla; Quintana moraliza sobre ella [134].

Pero el más celebrado de los poetas granadinos es don FRANCISCO MARTINEZ DE LA ROSA. Ya hemos mencionado sus obras en prosa y aludido a su carrera política. Su destino quiso que después de abandonar «la florida senda de la poesía» volviera a ella otra vez. Durante su destierro publicó en París una colección de poemas sobre los cuales se ha dado dura e injusta sentencia en un artículo, o más bien nota crítica, de la *Foreign Quarterly Review* [135]. Por otra parte, sus obras, particularmente sus dramas, han sido acogidos en España con mucha más admiración de la que justamente merecen. Es de lamentar que en dicha colección Martínez de la Rosa no haya incluido sus poemas cortos, muchos de los cuales son de lo mejor que ha escrito. También ha excluido (probablemente por razones políticas) su divertida comedia *Lo que puede un empleo,* que tanto y tan merecidamente se aplaudió en España. Aunque no libre de los defectos inherentes a esta clase de obras (*pièces de circonstances*) a que pertenece, rebosa ingenio y humor, y no es menos notable por los rasgos de carácter que por la animación y vida del diálogo, tan fiel a la naturaleza como el del propio Moratín [136].

Su poema sobre el sitio y caída de Zaragoza no es más que una serie de versos elegantes sin asunto narrativo ni caracterización; posee, no obstante, bellezas de estilo y lenguaje perceptibles para todo el que esté bien versado en español. Su «Arte poética» está escrita con igual o superior elegancia, pero es el mayor fracaso de las dos composiciones. La presente no es edad para la poesía didáctica, y por añadidura Martínez de la Rosa pertenece a la escuela clásica, o, como debiera llamarse más propiamente, pseudoclásica. De acuerdo con sus principios, la poesía depende principalmente de la forma y está sometida a normas tan precisas y mecánicas como la construcción de casas o de buques. Martínez de la Rosa clasifica y subdivide las obras poéticas con extraordinaria sutileza, amonestando gravemente a sus discípulos para que de ningún modo confundan la égloga con el idilio, mientras asigna un estilo especial para cada clase de composiciones. Es digno de notarse que aunque esta «Arte poética» se publicó por primera vez en París en 1827, y fue probablemente escrita poco antes, el autor no da la menor noticia de los poetas románticos ni de las disputas pendientes entre ellos y los clasicistas; escribe, por el contrario, como si las doctrinas de Boileau, Voltaire y La Harpe no solamente fueran verdaderas, pero ni siquiera puestas nunca en duda. Según la clasificación adoptada por Martínez de la Rosa, la mayor parte de la poesía de nuestro tiempo no debe contar para nada, puesto que no cabe dentro de ninguno de los límites en que a su juicio han de encerrarse las composiciones poéticas.

Indudablemente la gran ambición actual de Martínez de la Rosa es sobresalir como dramaturgo, y esta es quizá la razón de haber sido tratado tan severamente por el crítico inglés aludido antes. Con todo, una o dos de sus obras dramáticas no están totalmente desprovistas de mérito; siguen el modelo que los fraceses e italianos han mantenido todavía hasta nuestros días. En *La viuda de Padilla* (1812) el poeta español imitó de cerca a Alfieri, con el resultado que cabía esperar: la tragedia no tiene interés dramático, y apenas ningún carácter perfilado. Sin embargo, con sus defectos posee también las bellezas de la escuela a que pertenece. Su estilo es nervioso, nunca falto de energía, y a veces patético; la voz de la pasión humana se hace oír en ocasiones, y son abundantes los finos pasajes declamatorios. El poeta español tiene además un mérito que el italiano no posee: una versificación fluida y melodiosa. Las otras dos tragedias del autor, *Moraima* y *Edipo* son meramente dos fríos y elegantes poemas. El asunto de la primera es nacional, y muy cercano al autor por pertenecer a la historia pintoresca de Granada, su ciudad natal. Pues con todo eso, estaba tan desorientado por las falsas doctrinas literarias que había hecho suyas que ni siquiera le dio el menor colorido o carácter nacional a su cuadro dramático, que es esencial y enteramente francés —francés de la época de Luis XIV o Luis XV. En cuanto al *Edipo* no es sino la sustancia de varias tragedias francesas sobre el mismo asunto, rehecho juntamente con algunos fragmentos de la obra de Sófocles.

La comedia *La hija en casa y la madre en la máscara* tiene muy buenos golpes, y fue recibida con gran aplauso en España en 1821. Una traducción libre se ha representado en París con buen éxito.

Aunque Martínez de la Rosa en su «Arte poética» ha desdeñado hablar de ese género de drama que hoy se llama romántico, ha intentado cultivarlo —con muy poco éxito ciertamente—. En *La conjuración de Venecia* hay unos cuantos pasajes de efecto, y la escena en la plaza de San Marcos está llena de animación; pero estos aciertos no son suficientes para salvar la obra [137].

Martínez de la Rosa se eleva a más altura en sus poemas breves. La elegía a la muerte de la Duquesa de Frías tiene sensibilidad y espíritu. En todas sus obras, la elegancia es lo más sobresaliente, la imaginación lo más deficiente. Pero hay algo en su poesía que muestra que si se desprendiera de las trabas que él mismo se impone, podría lograr resultados más perfectos y muy superiores a los obtenidos hasta ahora. En sus poemas juveniles hay promesas de vigor poético y en sus últimas obras, a veces, algo más que elegancia.

El poema sobre la caída de Zaragoza, del que hemos hecho mención, fue escrito pensando en un premio ofrecido por el gobierno español. El premio volvió a ofrecerse después del segundo sitio, cuando la ciudad se había hecho famosa en la guerra. Algunos poetas nacionales respondieron al llamamiento, pero el premio nunca fue concedido. Los partidarios del gobierno español atribuyeron el incumplimiento de la promesa a las sucesivas vicisitudes de la guerra, que fijó la atención de los gobernantes en materias de más momento que la composición poética; pero no faltaron quienes lo atribuyeron a otras causas. Se dijo que (como había sucedido antes en otras competiciones literarias) los jueces habían decidido de antemano conceder el premio a determinado individuo; antes, naturalmente, de que pudiera mostrarse merecedor de él, y aún más, antes de figurar su nombre en las listas de aspirantes; que la notoria indolencia de este favorito (Don Juan Nicasio Gallego) le hizo faltar a su promesa de escribir sobre el tema; que la fecha para dictar el fallo fue aplazada, en espera de que al fin se decidiera y sobrepasara a sus rivales, hasta que por último, la palma tanto tiempo reservada para él y no conseguida por su propia indiferencia, no pudo otorgarse a nadie. Sea esto cierto o no, la opinión general fue que Martínez de la Rosa mereció la recompensa [138]. En el concurso pocos tomaron parte; entre otros un monje español, el Padre Valvidares, el cual, en vez de escribir un breve poema como se pedía, prefirió extender sus pensamientos sobre una larga composición que denominó pomposamente poema épico. La obra fue publicada, y hasta encontró lectores y críticos que la elogiaron; pero hoy está completamente olvidada [139]. El Padre Valvidares versificaba con gran facilidad y fluidez, pero sus versos carecen de animación y nervio, y de los grandes atributos que caracterizan a un poeta, no hay ninguno seguramente al que pueda aspirar.

Otro poeta de Granada, don JAVIER DE BURGOS, ha adquirido más fama como traductor que por sus composiciones originales. Y no es que estas últimas carezcan por completo de mérito, pero si logran mantenerse al nivel corriente de otras en su propio país y tiempo, nunca se elevan por encima. En cambio, su versión completa de Horacio le otorga justo título de eminencia [140]. No puede decirse que sea impecable, ni podría esperarse tal cosa; pero, en conjunto, no es inferior a ninguna versión del mismo poeta en ninguna otra lengua. Burgos tradujo igualmente la *Iphigénie* de Racine, y ha escrito un par de comedias. Una de éstas, *Calzones en Alcolea,* de carácter político, gozó de cierta fama. Está escrita con el propósito de ridiculizar a aquellos renombrados guerrilleros que tanto hostigaron a los franceses en la guerra de la Independencia y burlarse al mismo tiempo de la causa popular [141]. Burgos fue subprefecto bajo José Bonaparte; escribía para adular a su amo y recibió el aplauso de un auditorio que le era afecto por interés. En la misma proporción que se ganó la simpatía de aquellos afrancesados, se hizo odioso a la mayoría de la población, fiel a los hombres y principios que él denigraba. Sin embargo, en medio de todas las persecuciones de que España ha sido teatro, la buena fortuna de este poeta no ha padecido lo más mínimo; muy al contrario, Burgos ofrece un ejemplo (rarísimo en España) de los caminos literarios que conducen a la opulencia. Adulando a Fernando de 1814 a 1820 logró evadir la ley que lo condenaba a destierro, y pudo quedarse y residir en Madrid [142]; escribiendo como celoso constitucionalista en 1820 consiguió pasajero éxito para el periódico que entonces dirigía [143]; prestando su pluma a un tercer partido del *juste milieu* contra los violentos patriotas de 1822 se convirtió en un favorito del rey; con una serie de feroces ataques contra los derrotados liberales en 1823 se hizo todavía más grato a los gobernantes de entonces en España y en el extranjero. La recompensa por estos múltiples servicios ha sido sustanciosa. Juntamente con otros adheridos como él al partido afrancesado, se le permitió participar en aquellos empréstitos españoles que en la Bolsa de París fueron origen de enormes fortunas para unos pocos favorecidos. El poeta, metamorfoseado en un Creso, ha caído en la indolencia; su voz, antes tan sonora, no se hace oír en elogio ni en censura de los felices ni de los desafortunados, ni siquiera en relación con aquellos temas literarios que en un tiempo supo tratar con tanto acierto. (Ahora es ministro del Interior).

De todos los poemas de que hemos dado noticia, bien se verá que pocos tienen probabilidades de despertar interés vivo o duradero. La única poesía que los españoles han cultivado con cierto éxito ha sido la lírica. Largos poemas se han escrito muy pocos, y están por debajo del nivel de las restantes obras en el género. Poemas cortos, de esos que unen al interés novelístico el encanto del verso, no ha habido ninguno; y los intentos en la tragedia, si no todos han sido un fracaso absoluto, tampoco están por encima de la mediocridad.

Por esta escasez de productos nacionales, el público español tuvo que procurarse fuera un suplemento a sus tesoros literarios, y las tragedias de escritores extranjeros tomaron posesión casi absoluta de la escena española. ISIDORO MAIQUEZ, el grande y celebrado actor, que ya hemos mencionado antes, fue el principal instrumento para que tal estado de cosas prevaleciera. Su indisputable valía le dio prodigioso influjo sobre sus compañeros de profesión y sobre el público. Fue hombre de muy pocas letras; leer y escribir es lo que formaba la suma de sus conocimientos. En el curso de una breve visita a París trabó cierta relación con Talma; su gusto le reveló todo lo que de bueno había en la manera de representar de los franceses, y también cómo adaptarlo al teatro español. Mas no fue un imitador servil; su declamación no tenía nada de francesa. Seleccionó aquellos personajes trágicos en que podía brillar, y los halló en obras de escritores extranjeros, pues no conocía lo bastante el drama español para escoger entre sus numerosas producciones. No faltaron traductores para verter al español las obras que a él le gustaban, y algunos de ellos, sobre todo Saviñón, cumplieron su cometido con entusiasmo y sensibilidad. Legouvé, Arnault, Ducis y Alfieri fueron sus autores favoritos [144]: por mediación suya fue puesto en conocimiento de los españoles el último poeta mencionado, y entre ellos se hizo tan popular como entre sus compatriotas, y mucho más de lo que fue en otros países. Máiquez rara vez aparecía en obras antiguas españolas; sin embargo, su excelente personificación de aquel notable impostor (uno de los muchos que trataron de hacerse pasar por el rey Don Sebastián de Portugal), *El pas-*

telero de Madrigal[145], demuestra que era capaz de entenderlas e interpretarlas. De haberse dedicado a ellas más particularmente, quizá habría llamado la atención de sus compatriotas sobre el antiguo drama español, y contribuido, en consecuencia, a restaurar el antiguo estilo, no menos que a la producción de algunas tragedias originales y animadas. Tal como fue, Máiquez sólo sirvió para perpetuar el reinado de la traducción.

Esta influencia de un actor, en cuyo juicio literario nadie podía confiar, quizá parezca difícilmente comprensible a primera vista; pero se explica por su superioridad sobre todos los demás actores. No sólo se elevó muy por encima de ellos, sino que tenía el arte de ponerlos a ellos también sobre su altura normal; es un hecho bien conocido que muchos actores alcanzaban nivel respetable cuando trabajaban en su compañía, mientras que abandonados a sí mismos resultaban insufribles. El carácter personal pudo contribuir asimismo a incrementar su fama e influencia. Como tenía conciencia de su propia superioridad, era también duro y despótico, y tiranizaba tanto a los autores como a los actores. Por otra parte, se hizo querer de los españoles como patriota. En la época de la invasión francesa, sus vigorosos sentimientos en favor de la independencia de su país fueron expresados sin temor, hasta el punto de que cuando Napoleón ocupó Madrid, Máiquez tuvo el honor de ser perseguido y desterrado. José Bonaparte lo reclamó, y Máiquez llegó a ser protegido suyo, sin que ocultara nunca su simpatía por la causa de los patriotas. Más tarde, cuando los franceses fueron expulsados y Fernando volvió a ocupar el trono, Máiquez fue encarcelado y sancionado por constitucionalista. Su popularidad hizo ceder al gobierno y volvió a la escena; pero su misma popularidad, por extraño que parezca, produjo celos en el pecho de la propia realeza, y aunque suscitados por una insignificancia, una vez despertados se hicieron violentos e inveterados. Al volver del cautiverio el rey de España fue saludado calurosamente por sus súbditos siempre que se presentó en público. En ninguna parte fue recibido con más entusiasmo que en el teatro, por la circunstancia de ser este un lugar que los reyes de España habían frecuentado poco. Para mostrar la lealtad y consideración de los súbditos por un monarca que condescendía a participar en sus diversiones, una de las ideas que se pusieron en efecto fue la de soltar unas palomas para que volaran sobre el edificio apenas el rey entraba en su palco. Al reaparecer Máiquez en escena después de su encarcelamiento, no sólo fue aplaudido del modo más delirante, sino que también fue honrado con una paloma que se vio revolotear sobre las cabezas de los espectadores. Fernando, aunque muy asiduo al teatro, nunca se dignó presenciar ninguna representación cuando Máiquez actuaba; distinción de la que el actor se mostró más bien orgulloso que otra cosa, pero que tuvo malas consecuencias. Máiquez dejó de ser el favorito del mundo oficial madrileño, y después de haberle tratado duramente repetidas veces, le hicieron morir desterrado de la capital. Falleció en Granada en 1820, poco después de restaurada la Constitución, lo que le hubiera permitido afrontar el disgusto real, si no mirar altivamente a su derrotado adversario.

Tras la muerte de Máiquez la tragedia quedó arrinconada por falta de sacerdote supremo. La ópera italiana invadió a España y se enseñoreó de ella (como ha ocurrido en la mayoría de los países europeos) hasta excluir casi del todo el drama nacional. Pero la comedia siguió cultivándose para alivio del diálogo y la música de los extranjeros.

A la comedia le ha ido mejor que a la tragedia en la España moderna; las producciones de Moratín valen incomparablemente más que las contemporáneas de la musa trágica, y hasta los autores cómicos de segundo orden sobrepasan a la mayoría de los trágicos. Unas cuantas piezas en el movido y agradable estilo del teatro francés moderno gozaron de efímera celebridad; pocas, sin embargo, sobrevivieron. En este género literario también abunda la traducción, aunque sin reemplazar completamente a las obras originales. GARCIA SUELTO, joven médico que, a pesar de dedicarse a la literatura, sólo ha dado unas pocas e insignificantes pruebas de su valer, entre otras una traducción del *Cid* de Corneille, escribió una excelente comedia titulada *El chismoso,* que tuvo acogida muy favorable. De todos modos, no podrá en justicia decirse de ella lo que el propio autor se atrevió a decir en unos versos que compuso defendiendo la obra contra un crítico, culpable únicamente de haberla elogiado demasiado poco:

> Ni Molière ni muchos que lo admiran
> Han dado original una comedia
> Comparable al *Chismoso* [146].

Una clase de escritores dramáticos que con propiedad no pueden llamarse autores originales ni traductores, una especie de intermediarios o revendedores, si se nos permite el término, comparten el dominio de la escena española. Son los *refundidore*s de obras antiguas españolas. Su trabajo consiste en reducir los dramas antiguos al patrón del código de Aristóteles o de Boileau, torturándolos para acomodarlos a las unidades de tiempo y lugar, eliminando a todos los personajes que se consideran inútiles, y expurgando todos aquellos pasajes en donde el gusto de una época pasada entra en flagrante oposición con la del tiempo presente. Conseguir todo esto exigía el empleo generoso de las tijeras; tras muchos cortes y tajos implacables, solían unir las diferentes piezas con algunos parches de la propia cosecha; la obra, una vez acabada, mostraba visibles señales de la tosca mano que había realizado la operación. El resultado de estos esfuerzos fueron las más absurdas composiciones, aunque algunas de ellas gozaron en su tiempo de gran aprobación por parte del público. Esta práctica prevaleció en España desde fines del pasado siglo, y ha durado hasta nuestros mismos días. Uno de los refugiados españoles en Inglaterra, hombre laborioso y culto, Don Pablo Mendíbil, creyó que valía la pena publicar en Londres algunas piezas de Calderón refundidas de ese modo [147]; y esto en un país en donde las obras de Shakespeare y de los dramaturgos «irregulares» no sólo son admiradas sino que se tienen por modelo, y cuando ya hacía tiempo que Alemania había rechazado la doctrina de las unidades y estaba a punto de ser rechazada también por Italia y Francia.

Mas no faltaron en España algunos críticos que levantaron su voz contra los cánones de la escuela clásica. La guerra entre sus discípulos y los románticos que en tiempos posteriores se libró furiosamente en París, fue emprendida y se mantuvo con cierto brío en tierra española, particularmente en 1818. El más destacado campeón del drama irregular (especialmente del español) fue el señor BOEHL DE FABER, caballero alemán de nacimiento, bien versado en las letras españolas, que escribía con facilidad la lengua de su país adoptivo, y a quien el mundo literario es deudor de varias colecciones de poesía castellana. Los que atacaron el teatro nacional fueron Don José Joaquín de Mora y un amigo suyo, más notorio desde entonces por su conducta política que por sus méritos literarios, el cual ha abjurado los principios que entonces profesaba, no para ponerse totalmente en favor de la causa de los románticos, sino adoptando las ideas más liberales y justas de los poetas y críticos ingleses. El caballero alemán contó con la asistencia de su mujer, dama española que había dedicado al cultivo de su entendimiento más tiempo del que suelen prestarle sus bellas compatriotas. Estos campeones del romanticismo, mientras hacían justicia a las bellezas de Calderón y sus contemporáneos, cometieron el error de loar sus absurdos, y descarriados por el partidismo patriótico, redujeron la cuestión a un enfrentamiento de la literatura española en general con las extranjeras, partiendo del supuesto de que sus adversarios se habían pronunciado contra todo lo que era nacional. Por el contrario, los defensores del clasicismo mantenían estricta y pertinazmente las reglas establecidas por sus maestros, valiéndose de ejemplos no de la poesía griega, sino de la latina y francesa. Juzgaban, pues, la poesía nacional de acuerdo con tales normas y, por consiguiente, en las obras de los antiguos poetas españoles elogiaban mucho que era bueno y mucho que no pasaba de ser imitación correcta y sin espíritu. Pero mientras condenaban con razón los grandes defectos de los autores españoles, cuya desconsideración por los principios de Aristóteles iba acompañada de igual desprecio por la razón y el buen gusto, incluían también en su censura todo lo que era original o vivo en su propia literatura nacional. La causa inmediata de la controversia colocó a las partes contendientes en posición un tanto embarazosa. Mora había hecho una traducción viva y poética, pero apresurada y a menudo muy incorrecta, de la tragedia *Nino Segundo* de Mr. Brifault, insignificante poeta, hoy al frente de la Académe Française. La tragedia era asimismo bien pobre y si había adquirido fama pasajera en los escenarios madrileños se debió a la admirable representación de Máiquez. El traductor, pues, tuvo que sentirse dolido bajo el látigo del crítico alemán, que de un modo implacable y en muchas ocasiones justamente censuraba tanto el original como la paráfrasis. Por otra parte, el alemán había traducido la crítica de Schlegel sobre Calderón y otros españoles, adoptándola y manteniéndola como propia; cosa bien difícil, pues los juicios de aquel celebrado crítico sobre las producciones españolas son más ingeniosos e imaginativos que justos, y sus desenfrenadas teorías teutónicas, frecuentemente inaplicables a las menos extravagantes realidades del Mediodía. Esta controversia literaria no despertó mucho interés. Los nombres de quienes tomaron parte no figuraban entre los más conocidos de las letras españolas. El Sr. Boehl de Faber escribía y publicada en Cádiz, ciudad que aun poseyendo más elementos externos de civilización que ninguna otra de España, no se distinguía por su gusto o saber literario; lo poco que allí se publicaba era escasamente conocido por sus habitantes e ignorado por completo fuera de sus murallas. Mora y su amigo, que entraron en la contienda desde la capital de España y allí escribían, se vieron obligados a publicar sus folletos en Barcelona, lejana ciudad provincial: el censor de imprentas de Madrid había manifestado su disgusto por tales disputas, y no queriendo los autores someterse a su opinión, tuvieron que buscar en otra parte un censor más indulgente. Esta insignificante ocurrencia proporciona un buen ejemplo de la caprichosa tiranía bajo la cual viven los escritores españoles y de la desorganizada situación de un país en donde se permite imprimir en una ciudad algo cuya publicación se había prohibido antes en la propia sede del gobierno [148].

Por los mismos años en que culminaba la guerra literaria mencionada anteriormente apareció en España un poeta cómico que alcanzó en seguida gran popularidad y la mantuvo merecidamente. Nos referimos a don MANUEL EDUARDO DE GOROSTIZA, no ha mucho residente en Inglaterra, a quien la circunstancia fortuita de haber nacido en México lo elevó, para honor de su país, de la triste condición de refugiado español al alto cargo de ministro plenipotenciario de los Estados Unidos Mexicanos en la Corte de Londres [149]. Aunque americano de nacimiento, por haber recibido su educación en España y haberse dado a conocer en los escenarios de Madrid, tiene el derecho de ocupar un puesto en la historia de la literatura española moderna.

El primer intento de Gorostiza fue su *Indulgencia para todos* (1818), cuya trama se encuentra en el divertido cuento de Voltaire *Memnon, ou la Sagesse Humaine,* que es, a su vez, una ilustración del viejo proverbio «Nemo mortalium omnibus horis sapit» [150]. Los personajes de la obra están bien trazados, sobre todo el principal, Don Severo. El humor que corre por toda la obra es genuino; su estilo es más poético y tiene menos vivacidad conversacional que el de las comedias de Moratín. Aunque el autor pertenece a la escuela francesa y se atiene a las unidades, trata de combinar el estilo y maneras de los antiguos dramaturgos nacionales, cuya versificación adopta, con la regularidad de la composición moderna. La descripción de la mesa de juego, en la comedia que examinamos, además de la verdad gráfica y energía que posee, podría haber sido escrita por un contemporáneo de Calderón o Moreto, y nos hace recordar la no menos feliz descripción de una cena conventual en *El Príncipe perseguido,* de Juan Pérez de Montalbán [151].

Don Dieguito (1820) es otra de las obras de Gorostiza recibidas con gran aplauso. El personaje principal, trazado con humor y toques de caricatura, quería ser —según se sospechó maliciosamente— el retrato de una persona real cuyo nombre de pila era Diego.

Las demás comedias de Gorostiza le honran [152]. Aunque notables principalmente por su humor, en ocasiones dan muestra de ingenio, y de la mejor clase; pero sus argumentos carecen de interés. Defecto no exclusivo de este autor, pues es común a la escuela a que él y otros españoles modernos pertenecen, según la cual es una comedia no se requiere nada más que unos cuantos diálogos entretenidos. También su humor degenera aquí y allá en lo absurdo. En conjunto hay que colocarlo por debajo de Moratín, aunque más cerca de él que el resto de los autores de comedias contemporáneos, entre los que sobresale considerablemente, sin excluir a Martínez de la Rosa en *La hija en casa y la madre en la máscara,* aludida hace poco en estas páginas.

El teatro español no ha mejorado en estos últimos años; la mejor prueba la tenemos en la popularidad que goza en el día don MANUEL BRETON DE LOS HERREROS. Su *Marcela* ha sido representada muchas veces y acogida con tal aplauso que el lector imparcial encuentra difícil de explicar, pues no encontrará en ella una sola cualidad que justifique el favor del público. Sus caracteres combinan el lugar común y la burda caricatura; cuando el autor quiere ser humorístico lo único que logra es caer en el absurdo; no tiene argumento; y es un hecho curioso que de los seis personajes que salen a escena, cualquiera de ellos (con la excepción de la heroína) puede ser eliminado sin que la trama padezca lo más mínimo por la sustracción. En realidad, la pieza es una sucesión de diálogos absurdos, cuyo único mérito es la fluida y melodiosa versificación, que imita muy felizmente el estilo de los escritores antiguos, en particular Lope de Vega y Tirso de Molina. En vista de ello cabe pensar que el autor tendría más éxito probablemente en la poesía lírica. El nivel literario tiene que haber descendido sorprendentemente en el país de Calderón y Moreto para que un auditorio español pueda considerar tal producción como excelente [153].

Don JOSE VIRUES, general del Ejército español, es un poeta cuyos merecimientos deben anotarse con encomio; su traducción de la *Henriade* de Voltaire es elegante, abunda en buenos versos y tiene toda la animación que cabía infundir en la versión de un original tan frío. Otra traducción muy inferior del mismo poema por el Sr. Bazán apareció casi al mismo tiempo. El general Virués ha traducido asimismo con mucho acierto una parte de los *Animali parlanti* de Casti, añadiendo por su cuenta un canto propio. También ha escrito otras poesías originales de tolerable mérito, y últimamente ha publicado un poema sobre el cerco de Zamora (notable episodio en la historia española de la Edad Media), que el autor de esta reseña no ha visto, y del que sólo puede hablar a través de la favorable información que otros le han dado [154].

Los poetas españoles de hoy no han producido nada sobresaliente en la poesía lírica. Con motivo de la última amnistía otorgada por la reina, un joven ha publicado una vibrante oda, de atrevido pensamiento (políticamente hablando), y desde un punto de vista poético notable por sus vivas imágenes, sentimiento ardoroso y nerviosa expresión, pero después de todo digna tan sólo de moderado elogio [155].

Tampoco el tono y principios de la crítica literaria han mejorado esencialmente. Ha habido un intento, en el folleto anónimo atribuido al joven escritor Sr. Durán, de rebatir las doctrinas de la escuela clásica y mantener los principios adoptados por los poetas españoles, en particular los dramaturgos [156]. Pero el abogado estaba en este caso poco al corriente de la verdadera naturaleza y sentido de la causa, defendida con más celo que capacidad. El resultado ha sido el que cabía esperar. También ha publicado el Sr. Durán una colección de romances españoles en cinco volúmenes [157]. Es una buena selección, que acredita no sólo el gusto sino el celo del colector.

La mejor prueba del estancamiento actual de la crítica española nos la ofrece una excelente publicación aparecida en fecha reciente. Se trata de una colección de las mejores obras dramáticas españolas de los siglos XVI y XVII, acompañadas de juicios críticos sobre su respectivo valor [158]. Colección semejante se echaba muy de menos en nuestra literatura nacional. En tiempos de Carlos III, don Vicente García de la Huerta emprendió la misma tarea, pero su obra no tuvo éxito y la abandonó antes de acabarla (4). La reciente publicación se ha hecho con más ilustrado espíritu. La selección de autores y de obras es, en conjunto, buena, pero la crítica se mantiene fiel al código clasicista, y claro está que no puede aplicarse a tales obras. Recae sobre ella asimismo otra censura más grave: el genio de los poetas y sus obras no están sometidos a examen filosófico; lo que se juzga es el argumento de la obra más que su espíritu. Se señalan, es verdad, bellezas y defectos, pero no vemos ningún intento en busca de su origen ni explicación alguna del carácter del drama nacional. Al lector se le dice únicamente en qué respecto algunas de sus manifestaciones más brillantes se separan de las reglas ulteriormente adoptadas por los críticos españoles.

Las mismas inflexibles doctrinas fueron mantenidas por los redactores de la *Gaceta de Bayona* en los artículos literarios que aparecieron en aquella pasajera publicación periódica [159]. Y a ellas se adhiere también don José Mamerto Gómez Hermosilla en su obra titulada *Arte de hablar en prosa y en verso* (1826). Este libro, según se dice, ha tenido buena acogida en España, y sin embargo, aunque bien escrito, está falto también de ideas amplias y filosóficas. El autor despliega en la obra su saber y un gusto más bien seco que delicado: puede advertir lo que es malo, pero no tiene sensibilidad ni gusto para lo que es excelente. En una palabra, es un crítico del *juste milieu.* Su erudición, de la que parece envanecerse, es la del que puede dar una fiel versión de las palabras de Homero, pero no sentir ni hacer sentir a los demás su poesía; y nuestro parecer lo confirma su traducción de la *Ilíada* aparecida recientemente (1831). Este poema, para vergüenza de la literatura española, permaneció sin traducirse al castellano hasta principios del siglo presente, cuando don Ignacio García Malo publicó su *Ilíada* española. No la tradujo, sin embargo, directamente del original; se sospechó maliciosamente que en vez de recurrir por lo menos a la versión literal latina se limitó a poner en español a Dacier, Bitaubé o Lebrun [160]. Tan deplorable versión apenas fue leída. El reciente intento de Gómez Hermosilla pide más consideración y merece elogio por su fidelidad; pero el error de hacer una versión poética, con una insípida, pobre y prosaica versificación, hacen la obra poco menos que ilegible. No es el valor supremo la simple belleza del sonido, pero quien escribe versos debe hacerlos tales que halaguen el oído, so pena de que el lector sienta doble aversión por una obra que participa de los defectos del lenguaje sometido a medida, sin ninguno de sus encantos.

Tal era el estado de la literatura española en el interior, mientras los españoles emigrados, a pesar de los múltiples obstáculos que encontraban en su camino, se esforzaban lo más posible para contribuir al mejoramiento y renombre de su amado país natal. Entre otras producciones debemos mencionar una buena gramática de la lengua española, tal como *ahora* se habla y escribe. Su autor, don VICENTE SALVA, miembro de las últimas Cortes, estaba muy calificado para ello por los grandes conocimientos que posee en su propia lengua y literatura [161]. Salvá no entra en los principios filosóficos generales de la gramática; se trata, por el contrario, de una obra elemental. Pero en este orden tiene valor, y sobrepasa a todas las demás del mismo género, sin excluir la de la Real Academia Española (elogio no muy grande, por ser la gramática de la Academia muy imperfecta).

Ya hemos indicado que un buen número de las obras mencionadas anteriormente salieron de las prensas extranjeras. En Inglaterra, el periódico titulado *Ocios de Españoles Emigrados* lo redactaron en colaboración don JOAQUIN LORENZO VILLANUEVA, don JOSE CANGA ARGÜELLES y don PABLO MENDIBIL [162]. La obra, como era de esperar, se ocupaba mucho de política y mucho también de las pretensiones de la Santa Sede, tema que Villanueva por sus estudios y Canga Argüelles por inclinación y vasta, aunque superficial, erudición, consideraban de particular importancia. Pero la revista no careció de artículos interesantes sobre literatura y otras materias, donde destacaron favorablemente el castellano puro de Villanueva, el brillante y animado estilo, un tanto recargado e incorrecto, de Canga Argüelles y la industria y conocimientos de Mendíbil.

Don Pablo Mendíbil se ocupó activamente, además, en otros trabajos literarios. Durante su primer destierro en Francia había publicado, en colaboración con Don Manuel Silvela, una colección de elegantes selecciones en prosa y verso de los mejores escritores españoles [163]. En Inglaterra siguió dedicado igualmente a su objeto favorito: la difusión y exaltación de la literatura de su propio país. Esta parcialidad se convirtió al final, como suele ocurrir, en un prejuicio, y en consecuencia Mendíbil fue excesivamente pródigo en sus elogios, que por otra parte otorgaba también sin discernimiento. Por añadidura, padecía el defecto de no lograr nunca un buen estilo como escritor. Su conocimiento de los antiguos escritores castellanos era amplio, su deseo de imitarlos, grande; pero había nacido en Vizcaya y estaba acostumbrado desde hacía tiempo a escribir en francés: las huellas de su dialecto provincial y de sus asociaciones francesas son visibles dondequiera en sus obras, y más todavía por el contraste que ofrecen con sus arcaísmos y frases anticuadas.

También en tierra extranjera ha visto la luz el más largo e interesante poema que en muchos años se ha escrito en lengua española (5). Las prensas de París están en este momento ocupadas en dar al público *El moro expósito,* obra de don ANGEL DE SAAVEDRA, antes coronel del Ejército español y en la actualidad peregrino sin hogar, víctima de los acontecimientos políticos que han agitado a España privándola de muchos de sus mejores hijos [164].

Este poeta era ya conocido en España, donde había publicado dos volúmenes de poesías, además de haber escrito varias tragedias, alguna de las cuales fue representada con aplauso [165]. Pero sólo después de la emigración ha ascendido al alto lugar que ocupa entre los poetas españoles, sin que su derecho a mantenerlo sea disputado.

Don Angel Saavedra empezó a escribir versos en su primera juventud. Eran, sin embargo, como la mayoría de los versos juveniles, imitaciones o más bien variaciones sobre temas ya tratados por los poetas de la literatura clásica o nacional. Las diversiones de la vida elegante a que era muy dado cuando no ocupaban su atención los trabajos literarios, le impidieron seguir éstos con seria dedicación; su vida social llenaba todas aquellas horas que debió haber concedido al estudio y meditación, y a la atenta observación de la humanidad y a la comunión con la naturaleza. Saavedra, como hermano menor de un Grande de España (el Duque de Rivas)[166], pertenece a una clase que en nuestro tiempo no se ha distinguido por su capacidad intelectual ni por sus conocimientos adquiridos. Estas altas ramas de la nobleza española, hayan sido lo que fueren en otros tiempos, y a pesar de haber entre ellos en nuestros propios días unos cuantos individuos ilustrados y uno o dos poetas mediocres (6), se han visto descender casi a la insignificancia por obra de los gobiernos y sus propias culpas, hasta convertirse en las víctimas de su imperfecto cultivo intelectual y moral. Es imposible para quien respire la atmósfera de la alta sociedad española (más artificial y corrompida aún que la de otros países) que llegue a él el hálito de la verdadera poesía; pues bien, entre esa sociedad y el campamento militar, no más favorable lugar que el primero para el cultivo del espíritu, pasó su juventud Saavedra. Pero habiendo sido herido por un lancero polaco en los campos de Ocaña (además de recibir otras diez heridas), y abandonado allí por creerle muerto, después de una huida poco menos que milagrosa, su dolorosa y prolongada convalecencia le permitió disponer de algún tiempo, si no para el estudio, para la meditación. Obligado desde entonces a llevar una vida menos activa, empezó a dedicar sus ocios a la poesía. Puede decirse, sin embargo, que cortejó a las musas frívola y alegremente más que con sincera y grave pasión; por muchos años fue sólo su amante casquivana, últimamente se ha convertido en objeto de profunda y seria afección.

Hasta en sus primeros ensayos, siendo mediocres como eran, Saavedra dio promesas de futura excelencia. Es verdad que los asuntos de sus versos y sus pensamientos eran lugares comunes y procedentes de libros y no de la naturaleza. Sin embargo, había en sus poemas una fluidez armoniosa, una facilidad y cierta fastuosa abundancia de lenguaje reveladora de la fértil imaginación que poseía el autor. Su aspiración era escribir como Herrera y Rioja, pero mientras copiaba el estilo, lo agraciaba con lo que ellos no tenían: la fluidez y deliciosa dulzura de Lope de Vega y Balbuena. Estas son, después de todo, las únicas bellezas que encontramos en los primeros escritos de Saavedra. Otros poetas españoles tuvieron más imaginación, pero pocos o ninguno pudieron expresarse tan bien. En los dos volúmenes de poesías que publicó en 1820 hay algunos romances muy agradables, particularmente el que se refiere al episodio de sus heridas en el campo de batalla. Su breve poema narrativo *El paso honroso* contiene unas cuantas descripciones felices y posee, además, el mérito de una versificación de rara belleza.

Saavedra empleó parte de su tiempo en escribir tragedias. Pero estaba entonces mal preparado para triunfar en un orden de composición literaria tan elevado y dificultoso, y lejos de poder concebir y delinear caracteres, tenía que aprender todavía a expresar sus propios sentimientos e ideas. Sus tragedias *Aliatar, El Duque de Aquitania* y *Malek Adhel* son producciones flojas. La primera ni siquiera posee los méritos corrientes en la poesía del autor y aunque acogida con aprobación por un auditorio sevillano, no ha sobrevivido al pasajero éxito inicial. La segunda tiene una trama interesante; en la tercera, cuyo argumento está tomado de la bien conocida novela de Madame Cottin [167] hay bellos pasajes poéticos y en algunas ocasiones otros fuertemente apasionados. No ha pasado, sin embargo, por la prueba de la representación teatral.

Lanuza, cuarta tragedia del autor, fue escuchada con gusto y gran aplauso en Madrid, y no encontró menos favor en provincias. Saavedra la escribió mientras ocupaba un escaño en las Cortes como diputado, durante el período de máxima tensión política que señalan los anales de la revolución española [168]. Se funda en el episodio de la resistencia llevada a cabo en defensa de la libertad nacional por el Justicia de Aragón Don Juan de Lanuza frente a la tiranía de Felipe II, cuyo final, desgraciadamente, fue la abolición de las instituciones libres de Aragón, la ejecución del patriótico cabecilla y el fracaso de su causa. El asunto despertó en Saavedra sentimientos de viva indignación, y supo provocarlos también en el auditorio. Pero en el drama no había realidad histórica ni representación verdadera de la antigua España; el esquelético argumento no contenía más que un solo personaje, el del héroe. Y en ese personaje único hay escasa individualidad; está hecho nada más que para mostrar las pasiones e ideas del pueblo en la época en que la tragedia fue escrita y representada. El poeta daba expresión a sus propios sentimientos, y el auditorio le escuchó encantado porque los suyos eran los mismos. Así que la tragedia era sólo un discurso —elocuente, sí— como los que se pronunciaban entonces en el Congreso y otras asambleas populares, embellecido con las galas de la poesía. Los asiduos concurrentes al teatro aplaudían en su recinto lo que acostumbraban a aplaudir en cualquiera otra parte, aunque en este caso resultaba mejor dicho.

Saavedra estaba condenado por el destino a sufrir el fuerte choque del infortunio; pero aunque el golpe hirió al hombre, y con mucha dureza, sirvió de estímulo al genio del poeta. Sus sentimientos fueron poderosamente agitados por la circunstancia del destierro. Por propia y triste experiencia personal, y no en los libros, conoció las miserias de la emigración que le separaba de su país y amigos, y le hacía pasar de la afluencia y elevada posición a la pobreza y oscuridad. Los primeros brotes de este espíritu en la oda «El desterrado» son muy hermosos. Tiene sus defectos, pero arranca palpitante del corazón, como efusión que es de un alma cargada de dolor en el momento de echar una última mirada a las costas de España desde la embarcación que le conducía por el estrecho de Gibraltar, dejando su primer lugar de destierro (aunque fortaleza inglesa, todavía parte de la península) por el nada templado clima de Inglaterra. En esta oda las grandes bellezas del estilo de Saavedra se despliegan con particular ventaja, incorporadas al sincero e intenso sentimiento que brota de toda la composición [169]. Un segundo y muy corto poema, sobre casi el mismo tema, «El ensueño del proscrito», posee todavía mayor mérito. No es más que una bagatela y, sin embargo, en ningún otro lugar se hacen sentir las bellezas rítmicas de la poesía castellana como en estos pocos versos, enriquecidos por el más auténtico y tierno patetismo, y hermoseados por el más vívido contraste de una escena nocturna en las riberas del Guadalquivir iluminadas por la luna y la metrópoli inglesa con su nebulosa y pesada atmósfera.

Saavedra fue arrojado por sus infortunios primero a Inglaterra y de allí a Malta. Su estancia en esos países y su relación con críticos extranjeros le hizo adquirir nociones más sólidas e información más exacta respecto al estado de la crítica europea que a la mayor parte de los escritores españoles [170]. Sus amigos, que discernían en su conversación indicaciones de una fantasía, un ingenio y un humor que no se encontraban en sus escritos, le exhortaron a confiar sin temor en sus propias fuerzas y a expresar lo que había dentro de él, en vez de repetir lo adquirido en las obras de otros. Así, siguiendo este sensato consejo, ha venido a deleitar a sus lectores con sus últimas composiciones, sobre todo con el poema mencionado.

El moro expósito se funda en una de esas leyendas populares tan frecuentes en la historia de España. La leyenda de los Siete Infantes de Lara y de su más joven hermano y vengador, el moro Mudarra, había sido escogida como asunto de una antigua obra dramática española, no de las mejores ciertamente [171]; no se le había hecho, pues, la justicia que merece, habiendo pocas más ricas en profundo interés, o que proporcionen materiales más adecuados para un poema.

El autor se ha propuesto ser el poeta romántico de la España moderna. Su obra no lleva el sello de aquel código literario bajo cuyos edictos viven y escriben aún sus compatriotas: no es ni épica, ni didáctica, ni descriptiva, pero aspira a ser considerada como única en su género, esto es, iniciadora de una familia. Está además llena de pasajes humorísticos y hasta bajos, entre otros de carácter completamente opuesto. No trata de preservar la dignidad formal de la poesía heroica; como la vida diaria tiene sus vicisitudes: lugares luminosos y pasajes oscuros, caballeros y payasos. El estilo y el lenguaje son a veces altamente poéticos, hasta deslumbrantes en exceso, mientras que otras son sencillos y corrientes, sin elevarse por encima del habla común. Parece como si el autor se hubiera apartado adrede de los melindres de los poetas españoles, llamando las cosas familiares con sus nombres familiares, en vez de recurrir a esos circunloquios considerados hasta ahora no sólo propios sino esenciales de la poesía.

El poema está escrito en la medida italiana del endecasílabo. Su carácter romántico parecería exigir el romance de ocho sílabas; pero esto en un poema largo resultaría intolerable para oídos castellanos. Por otra parte, con la adopción del *asonante* (la media rima española) en lugar del *consonante* (la rima completa), la versificación viene a tener un aire castellano; ese mismo metro pasa entre españoles como emparentado con el del romance y hasta se denomina *romance endecasílabo*. Al argumento del poema le ha dado el autor profundo interés. Tiene acierto en el trazo de caracteres, más en personas de baja extracción que en las de alto rango. El moro y su amada, y el viejo Gonzalo, apenas son más que los tipos consagrados del joven valeroso, la heroína y el viejo caballero de las narraciones caballerescas; pero Ruy Velázquez tiene más vívida y propia existencia, y la vieja hechicera medio demente y su hijo han sido imaginados y pintados con gran fuerza y animación. No menos individualizados están los bandidos, y entre ellos El Zurdo constituye una de las más acertadas personificaciones del rufián español que han merecido hasta ahora los honores de la imprenta.

Pero el gran mérito de la poesía de Saavedra reside

en los pasajes descriptivos; el largo poema que tenemos delante nos proporciona brillantes ejemplos. Las escenas andaluzas tienen como la fragancia de los naranjales y reverberan, por decirlo así, bajo el intenso colorido del firmamento. En Córdoba el poeta se siente en su elemento propio y con su magia puede transportar allí a sus lectores, incitándoles a contemplar el claro cielo y aspirar los aires suaves de las riberas del Guadalquivir. El contraste no está mantenido menos sorprendentemente entre los árabes ilustrados, refinados y alegres que ocuparon el mediodía, y los austeros y menos civilizados castellanos que poseían el Norte. No es Saavedra menos feliz en sus descripciones de la naturaleza animada: la escena entre Ruy Velázquez y sus matones es terrible e impresionante; la de la pendencia entre el grupo de moros y los cristianos, animada y vivaz —un cuadro sacado de la vida.

Podría quizá decirse que el estilo y versificación de este poema son algo inferiores a la mayoría de las obras del autor; sin embargo, contiene versos que no han sido superados en ninguna, como en ninguna composición anterior mostró mayor dominio que en esta del lenguaje y la versificación. A veces, sin duda deliberadamente, parece descuidado, pero esto era de esperar en una obra de tal longitud, y no hay por qué censurarle demasiado. En su mayor parte los poetas españoles caminan demasiado constantemente sobre altos coturnos, y un descenso pasajero puede ser excusado, si no encomiado, como más propenso en último término a producir bien que mal.

Algunas de las composiciones menores publicadas juntamente con el poema son también dignas de elogio. La idea de hablar a un niño durmiendo no es nueva, pero en los «Versos a su hijo durmiéndose en los brazos de la madre», el reiterado pensamiento de la triste situación del poeta se mezcla con sus sentimientos paternos, dando cierta originalidad y mucha ternura a la expresión de sus afectos. Los versos al Faro de Malta son muy animados, y en ellos ha dado el autor una muestra de los nuevos principios poéticos que había adoptado. La idea de mencionar la veleta (en forma de ángel dorado) que corona la torre de la catedral de Córdoba, habría sido rechazada probablemente por la mayoría de los escritores españoles de nuestros días como imagen inapropiada en la poesía de alto rango, y sin embargo es buena por ser natural y dar fin adecuadamente al imaginativo y conmovedor poema.

Los defectos de Saavedra como poeta tienen el mismo origen que sus bellezas. Su extremado dominio del lenguaje y de la versificación y la indudable facilidad con que le salen los versos, producen a veces descuido en el estilo y constante prolijidad. El poeta tiene un don maravilloso para decir lo mismo una y otra vez, para revestir un solo pensamiento de hermosos y diversos ropajes; pero abusa de sus dotes. La podadera podría aplicarse a menudo ventajosamente para reducir la exuberancia de su estilo y lenguaje (que en ocasiones llega a degenerar). La misma riqueza del suelo que permite cultivar una vegetación bella y lujuriante, cría también abundante maleza que es necesario extirpar.

Con la publicación de estas obras Saavedra ha ocupado su puesto entre los poetas españoles de primer orden. Su difusión puede tener como consecuencia nada menos que un cambio en el gusto literario del pueblo español. El último poema de Saavedra va acompañado de un prólogo en donde se presentan y defienden doctrinas literarias que escandalizarán a los escritores ortodoxos que hoy ocupan los sitiales de honor en la literatura castellana [172]. El lenguaje de dicho prefacio es atrevido e impetuoso, como conviene a un osado innovador, y será sin duda recibido con airadas reconvenciones y censuras, no exentas de denuestos; pero como esto habrá de conducir al libre examen de su verdad o falsedad, en último término cabe anticipar los mejores resultados. El entendimiento público en España puede compararse con una charca estancada; la misma tormenta que altere su pesada calma, purificará también de seguro sus aguas.

Con la publicación últimamente mencionada damos por acabado nuestro breve panorama de la literatura española durante el siglo XIX. Algunas obras de fecha posterior a las citadas no han llegado al autor de estas páginas. Entre las que ha visto anunciadas hay unas cuantas novelas, dos o tres de las llamadas históricas, *El bastardo de Castilla, El Conde de Candespina* y *La conquista de Valencia,* y otra titulada *Las costumbres de ogaño,* que declara ser un retrato de la sociedad española tal como existe en el presente día [173]. Estas producciones constituyen una verdadera novedad en la literatura española, ya que, con la excepción de obra tan floja como *La Serafina* no se han publicado en España narraciones imaginativas originales, en una época tan prolífica en obras de esa naturaleza en todas las demás naciones europeas.

Algunos de nuestros lectores quizá encuentren demasiado severos nuestros juicios sobre las producciones de los escritores españoles modernos. Pero sobre este punto quien suscribe no siente escrúpulos de conciencia. La naturaleza de las composiciones que ha examinado delata la insignificancia de la literatura española moderna; pues sean cualesquiera los méritos de unas pocas odas o de unos cuantos ensayos de crítica literaria o políticos, no bastan para constituir una literatura que pueda imponerse a la atención del lector extranjero, o suscitar su interés. Los lectores de fuera podrán lamentarse si acaso por haber concedido demasiada importancia a algunas de las obras reseñadas; pero a España no deben aplicársele las mismas medidas que a otros países donde el espíritu es más libre y, por consiguiente, más activo. Ya se ha explicado por qué los autores españoles no pueden ocuparse en obras que podrían ganarles seguramente fama duradera y proporcionar satisfacción sustancial a sus lectores.

En su mayor parte el alimento intelectual de los españoles es de origen extranjero, bien en su estado propio o mediante traducciones. Las obras de esta última clase son muy comunes y si tuviéramos datos suficientes podríamos ofrecer un cómputo de las obras originales y traducidas publicadas en castellano que sorprendería al lector por la inmensa preponderancia de las últimas sobre las primeras. Hasta para aquellos que residen en España este exceso habría de llamarles la atención y todavía podría aumentarse añadiendo los libros impresos en otros países. Los españoles emigrados se han mostrado muy activos en estas fáciles labores, aunque no siempre hayan escogido los mejores libros para la traducción, ni cuando este ha sido el caso, sean siempre dignas de elogio sus versiones.

En conjunto, los españoles son muy dados a la lectura de novelas y están provistos con abundancia por los franceses; la peor hojarasca que sale de las prensas de Francia ha aparecido con indumento español, o mejor dicho, en una especial jerga española que es de temer haya corrompido irremediablemente la lengua castellana.

Pero no puede negarse que España se encuentra en un estado de mejoramiento progresivo. Tendrá, sin embargo, que avanzar muy despacio, si los obstáculos que lo impiden no son apartados, parcialmente al menos. Entre otras cosas necesarias, figura como la más beneficiosa una imprenta libre, que ya gozó durante las dos últimas revoluciones, aunque las presentes circunstancias dan pocas esperanzas de que se conceda (7). Mas aun sin ir tan lejos, y apartándonos de la inquieta región de la política, nos bastaría la esperanza de una administración más flexible de la censura por parte de la magistratura competente. Bajo una rígida monarquía es imposible que se tolere ninguna crítica del gobierno existente; teorías audaces en política o religión no pueden ser proclamadas. Pero la función del censor, en nuestra opinión, podría limitarse a prohibir la difusión de doctrinas reprensibles, en vez de extenderse (como ocurre ahora) a todo lo que no casa con sus prejuicios literarios o partidismos, y aun con sus caprichos. Grande es ciertamente la dificultad de poner límites a una autoridad irresponsable; las buenas normas tienen escasas posibilidades de ser aplicadas cuando no hay apelación contra un opresor colocado en puesto oficial. Sin embargo, un gobierno que actuase con sensatez e imparcialidad podría hacer mucho, y no vemos razón para que la imprenta no esté en España en las mismas condiciones que en otros países bajo gobiernos semejantes.

La caída de la Inquisición debió haber sido favorable para dar amplitud al entendimiento público. Pero el espíritu de dicho tribunal no se ha extinguido todavía por completo; sobrevive en muchos departamentos del Estado, y de ello tenemos una prueba sorprendente en la última edición de las obras de Moratín, que estuvo a cargo de la Real Academia de la Historia. El texto ha sufrido cambios y mutilaciones, y algunos chistes mordaces, que fueron tolerados en la escena y pudieron imprimirse en los días de Godoy y de la Inquisición, cuando la tiranía civil y religiosa estaba en su apogeo, han sido suprimidos y sustituidos por versos sin la menor chispa, que no hablan en favor de la independencia ni del ingenio del editor. En la *Mogigata,* por ejemplo, el criado Perico, hablando de un enfermo, dice que los médicos, viendo que los remedios no daban resultado,

> Le recetaron la Unción,
> Que para el alma es muy buena.

Esto, juzgado irreverente, se ha modificado así:

> Le recetaron la Unción
> Y tomaron las pesetas.

La susceptibilidad del Gobierno español respecto a la política de tiempos pasados es verdaderamente extraordinaria. Se ha trazado una línea divisoria, y al lado de acá casi no se permite censurar los actos de los reyes desaparecidos. A la gente se le deja hablar, por ejemplo, de los crímenes de Pedro el Cruel, o de la corrupción de Enrique IV, pero no se toleraría ningún informe desfavorable sobre el reinado o la persona de Felipe II; los Borbones han extendido un manto protector sobre los monarcas de la Casa de Habsburgo.

Mientras no se consiga mitigar un tanto este rigor, dejarán de aparecer obras importantes en España, y no digamos obras históricas. Mucho hay que hacer en este departamento literario; una historia de la América española y hasta de la misma España sigue todavía sin escribir: las dos revoluciones por que ha pasado no han recibido aún tratamiento histórico, a no ser que aceptemos como representación fidedigna de tales acontecimientos obras extranjeras tan incompletas como llenas de prejuicios y deficientes por su información.

Pero cabe decir que los géneros más ligeros de la literatura podrán ser cultivados, no obstante las dificultades que entorpecen la producción de obras de más alto vuelo, y la observación es verdadera en parte. De todos modos, las mismas influencias que impiden el desarrollo de las facultades superiores del entendimiento, actúan también en perjuicio de las más ligeras aspiraciones y esfuerzos de la fantasía y del intelecto. La escasez de lectores, la falta de capital en el negocio de libros, el limitado número de autores, y el no menos pequeño número y baja calidad de sus obras, todo ello puede atribuirse a un mismo y único origen.

Sugerir cambios sin tener el poder de hacerlos efectivos es, en general, un empeño tan infructuoso como ingrato. Quien piense cuerdamente se contentará con apuntar aquellos remedios que puedan ser adoptados en las circunstancias existentes. Es prudente aprovecharnos de lo poco que pueda haber a nuestro alcance, pero ello no excluye por nuestra parte el insistente deseo de obtener ulteriores y más importantes ventajas; los caminos que aun ahora se abren libremente a los escritores españoles son más numerosos y variados de lo que ellos mismos se imaginan.

Los poetas de España debieran poner su mirada en horizontes más amplios que hasta ahora. Evitando la imitación de las extravagancias de la moderna escuela romántica, cuyas buenas cualidades quedan desfiguradas por exceso de afectación, y desdeñando las vagas diferencias entre clasicismo y romanticismo, debieran seguir los brillantes y juiciosos ejemplos de los ilustres poetas ingleses de los últimos años [174]. Su historia nacional, sus tradiciones populares, la faz de su país, están llenos de elementos poéticos y novelescos. Déjenlos, pues, surgir y hagan de su poesía lo que críticos informados a medias suponen que es, aunque verdaderamente no lo sea, esto es, nacional y natural. En vez de vagas descripciones, que nos den cuadros característicos de su propio y hermoso paisaje; en vez de fábulas de una desgastada mitología, oigamos sus propias tradiciones y supersticiones populares; en lugar de caracteres copiados de libros extranjeros, que observen la naturaleza humana en su misma tierra y operen sobre ella; y si vuelven la mirada al pasado, que se familiaricen con la historia y no tendrán dificultad en vestir sus figuras apropiadamente.

Según parece, se han publicado ya en España algunas novelas históricas. Por grandes que sean las reservas que pueden hacerse contra esta clase de composiciones, están sobrepujadas, en la opinión de quien esto escribe, por las ventajas que poseen. Merecen, pues, ser favorecidas particularmente en España, para que tanto los autores como los lectores se aparten de una vez de los lugares comunes de una poesía insípida, monótona y sin carácter.

Tampoco hay que desalentar la producción de la novela corriente, a pesar de la hojarasca que con seguridad traerá consigo el cultivo de este género. Podría dirigir la atención de los españoles hacia su propio país y las realidades de la vida cotidiana, lo cual tendría a su vez otra consecuencia beneficiosa: la de hacer conocer mucho mejor a los extranjeros la vida española, tal como es. Estos, en su mayor parte, juzgan a España como era en el siglo XVII: todavía se supone que existe la dueña, y el galán que toca la guitarra bajo la ventana de su recatada dama. *Gil Blas,* en algunas partes muy fiel representación de las costumbres de la vieja España, y en otras totalmente falsa, aún sigue considerándose en Inglaterra y Francia como pintura fidedigna de la vida y costumbres españolas de nuestros días. Culpa es de los mismos españoles el que no sean mejor conocidos; si en algunas cosas han degenerado, en muchas otras son muy superiores a sus antepasados. Habiendo conservado algunos hábitos nacionales y adoptado muchos de origen extranjero, sus mismas peculiaridades son muy diferentes de las del pasado y atribuibles en su mayor parte a las tempestades que el destino de la presente generación les ha hecho vivir y atravesar afanosamente.

La atención de los críticos españoles podría orientarse ventajosamente hacia el examen y estudio de los sanos principios filosóficos sobre los cuales se funda en otros países la ciencia literaria que profesan.

Al despedirnos, séanos permitido un consejo a los escritores (y lectores) españoles: nos gustaría que prestasen menos atención al estilo y más al contenido; que rechazasen la propensión a la escritura fina y ambiciosa, y la reemplazaran por una mayor atención al uso correcto y filosófico del lenguaje; que prefiriesen, en su poesía, la audacia imaginativa y la intensidad de sentimiento a la dulzura de la versificación y la suavidad de frase. Que inculquen esto en su pecho, y alcanzarán seguramente aquel grado de excelencia a que parecen dirigir ahora si no todos la mayoría de sus esfuerzos. La hermosa lengua que tienen a su disposición, la exuberante fantasía del carácter nacional, los habilitan para una nueva carrera mucho más brillante que las emprendidas hasta ahora. Que pueden tomar parte en ella y triunfar superándose, no va más allá de los deseos y esperanzas de quien esto escribe, antes bien es su ferviente anhelo, pues toma muy a pecho el honor y la gloria de su país natal.

Es verdad que en la tarea llevada a cabo ha sido más pródigo en censuras que en panegíricos, pero por penoso que fuere sólo ha hecho lo que estimaba su deber. Nunca ha vacilado en otorgar su elogio cuando lo creía justo, y si esto ha sido de manera un tanto estricta y refrenada, es porque cree preferible el elogio juicioso y moderado a la ciega y desmesurada alabanza, especialmente cuando no se concede a otras que se impongan por su indudable calidad. Y si su panorama de la literatura española moderna no ha sido muy favorable, se debe a su arraigada convicción de que el mejor amigo es aquel cuyas palabras suenan más rudas en los oídos de la propia estimación y del prejuicio; que es menos peligroso reprobar que adular, y que España necesita una voz de alarma que estimule a sus hijos a recuperar el carácter nacional y ponerlo a la altura en que puede y debe estar.

Notas

Notas del autor

(1) Después de escrito lo anterior, nos llega la noticia de su muerte.

(2) Es un hecho singular que mientras las traducciones de poetas griegos son tan escasas en la literatura española que apenas se encuentran, Anacreonte ha sido traducido con frecuencia. Villegas, Cienfuegos, Conde y algunos más han dado versiones poéticas de sus odas. Apenas puede explicarse esta preferencia por un autor que no cuenta mucho entre los griegos, a no ser porque los escritores españoles tienen la costumbre de seguir cada uno las huellas de otros.

(3) Casi no hay necesidad de recordar al lector que estos dos personajes están a su vez imitados y traducidos del *Adelphi* de Terencio.

(4) El colector era hombre de talento, pero de escasa erudición, de menos juicio y de menor ecuanimidad todavía. Sus críticas se dirigían, en su mayor parte, a censurar a sus contemporáneos. Su obra, titulada *Theatro Hespañol* (1785-86), dio ocasión a chistes muy divertidos a causa de sus excentricidades.

(5) Una comparación con *La Araucana* y *El Bernardo,* los dos mejores poemas de la literatura española

antigua, no vendría al caso, y llevaría a discusiones que bien pueden ahorrarse.

(6) Estas excepciones, aunque pocas, deben ser recogidas. Ya hemos mencionado al Duque de Frías. El Duque de Híjar escribió algunas poesías muy malas y prosaicas, pero indicativas de sus buenas intenciones literarias. Un drama suyo muy absurdo se representó en Cádiz en 1812.

Don Gaspar Aguilera, hermano del marqués de Cerralbo, emigrado durante algunos años por su devoción a la causa constitucional, y hombre de mucho talento natural y grandes conocimientos, escribió asimismo y publicó algunas breves composiciones poéticas que no desmerecen de los mejores versos castellanos de nuestros días. De escribir o publicar más, estamos seguros de que nuestra opinión sería aún más favorable, por creerle capaz de producir obras de calidad superior a las que tiene hechas.

(7) No necesitamos advertir que estos artículos fueron escritos hace algunos meses.

Notas del traductor

Para evitar la multiplicación de notas, se ha procurado corregir o completar en el texto precedente los títulos que el autor da de algunas obras y añadir la fecha de publicación.

[1] Las excavaciones de la ciudad romana de Herculano, bajo el patrocinio de Carlos III siendo rey de Nápoles, las inició en 1738 el ingeniero español Alcubierre. Las de Pompeya, sepultada como Herculano por la erupción del Vesubio del año 79, empezaron, bajo el mismo rey, diez años después.

[2] Los artículos de Addison sobre el *Paraíso perdido* de Milton aparecieron en su periódico *The Spectator* de 1711 y 1712.

[3] La edición del *Quijote* que la Real Academia Española publicó en 1780, lleva al frente la biografía de Cervantes y el análisis de la obra debidos al coronel don Vicente de los Ríos.

[4] Alcalá Galiano dice Fermín Tojar en vez de Francisco. El mismo tradujo algunas de esas obras; por ejemplo, los *Sermones* de Reybaz, condenados en 1806.

[5] Henry Grégoire, el republicano obispo de Blois durante la revolución francesa, bien conocido en España por una carta pública sobre el Santo Oficio, dirigida al inquisidor Arce, a la que replicó don Joaquín Lorenzo Villanueva. (Véase nota 58.) Scipione de Ricci, obispo de Pistoia, cuyas reformas eclesiásticas de 1786 fueron condenadas por la Santa Sede.

[6] La obra de Cesare Beccaria *Dei delitti e delle pene*, 1764, punto de partida del derecho penal moderno, y

la *Scienza della legislazione,* 1780-85, de Gaetano Filangieri, tuvieron como en toda Europa gran resonancia en España, a pesar de la prohibición inquisitorial.

[7] *El Censor* (1781-1786), donde colaboraron entre otros escritores de nota, Meléndez y Jovellanos, lo dirigió el abogado Luis Cañuelo. Muchos de sus números figuran en el *Indice* de 1790, algunos hasta para quienes tenían licencia de leer libros prohibidos.

El Apologista Universal (1786) lo publicó Fray Pedro Centeno, erudito agustino.

[8] Alude a la escritora María Rosa Gálvez.

[9] Francisco Cabarrús (1752-1810) fundador en 1782 del Banco de San Carlos, es conocido pricipalmente por sus *Cartas sobre los obstáculos que la naturaleza, la opinión y las leyes oponen a la felicidad pública,* 1783, varias veces reimpresas en el primer tercio del siglo XIX. Discursos académicos fueron el elogio del Conde de Gausa, 1785, y el de Carlos III, 1789.

[10] El autor no cita más que el primer volumen de las *Vidas de españoles célebres* de Quintana, publicado en 1807, porque el segundo y tercero no aparecieron hasta 1830 y 1833 respectivamente; el último no debía serle conocido al redactar estas páginas.

[11] El *Memorial Literario,* o *Biblioteca periódica de ciencias y artes,* dirigido por Pedro María Olive, se publicó de 1801 a 1804 (?). Con anterioridad había existido un *Memorial Literario instructivo y curioso de la Corte de Madrid* en dos series, de 1782 a 1790 y de 1793 a 1798. El último *Memorial Literario,* redactado por Andrés de Moya, Cristóbal de Beña y Mariano de Carnerero, apareció de enero a mayo de 1808.

El Regañón General o *Tribunal Catoniano de Literatura, Educación y Costumbres,* apareció dos veces por semana de 1803 a 1804.

La Minerva o El Revisor General (1805-1808) la dirigió también Pedro María Olive.

Las *Variedades de Ciencias, Literatura y Artes,* la más importante de las revistas mencionadas, salió de 1803 a 1805.

[12] *Principios filosóficos de la literatura* o Curso razonado de Bellas Letras y Bellas Artes. Obra escrita en francés por el Abate Batteux. Traducida al castellano e ilustrada con algunas notas críticas y varios apéndices sobre la literatura española, por don Agustín García Arrieta. Madrid, 1797-1805, 9 vols.

[13] *Lecciones sobre la Retórica y las Bellas Letras* por Hugo Blair; las tradujo del inglés don Josef Luis Mu-

nárriz. Madrid, 1798-1801, 4 tomos. Hubo dos ediciones más, 1804 y 1816.

[14] En consecuencia Munárriz no pudo imprimir su compendio hasta 1815.

[15] La academia de los jóvenes escritores sevillanos, fundada en 1793, se denominó en realidad Academia de Letras Humanas, y vino a ser, sobre todo al principio, una especie de club literario estudiantil. De ahí su carácter no oficial sino «privado», como expone uno de los socios, Eduardo Vacquer, al frente de las *Poesías de una Academia de Letras Humanas de Sevilla*, 1797, donde se recopilan composiciones leídas en la academia por Blanco, Lista y Reinoso.

En el *Correo Literario y Económico de Sevilla* (octubre 1803-septiembre 1804) escribieron, en efecto, varios de los que habían pertenecido a la academia, pero cuando ya esta había dejado de existir, y sus socios, casi todos sacerdotes, habían terminado sus estudios universitarios.

[16] Dos de esos jóvenes fueron el propio Alcalá Galiano y José Joaquín de Mora.

[17] Meléndez Valdés murió en Montpellier en 1817. Quintana estuvo preso en la fortaleza de Pamplona de 1814 a 1820. Martínez de la Rosa fue enviado en 1815 al presidio del Peñón de la Gomera.

[18] «Jovellanos on Agriculture and Legislation», en *The Edinburgh Review*, abril 1809. Este artículo, motivado por una edición francesa publicada en San Petersburgo en 1806, parece ser del doctor John Allen. El Informe sobre la ley agraria lo extendió Jovellanos en nombre de la Sociedad Económica de Madrid, y esta sociedad lo publicó por primera vez en 1795.

[19] En el *Itinéraire descriptif de l'Espagne*, del Conde de Laborde, no figura la obra de Jovellanos, pero pudo incluirse en la traducción inglesa de 1809, que no conozco.

[20] *Some account of the Lives and Writings of Felix Lope de Vega Carpio and Guillén de Castro*, by Henry Richard Lord Holland. Londres, 1817. En apéndice se reproduce un fragmento del informe de Jovellanos sobre juegos, espectáculos y diversiones públicas. La edición está ilustrada con una reproducción del busto de Jovellanos que esculpió Monasterio en 1809 por encargo de lord Holland.

[21] «Life and Writings of Jovellanos», en *The Foreign Review*, núm. VII, 1829. El autor fue seguramente Pablo Mendíbil, español emigrado, colaborador asiduo de la revista, de quien se habla más adelante.

El titulado «Life and Works of Jovellanos» en *The Foreign Quarterly Review*, febrero 1830, fue obra del propio Alcalá Galiano. Lo publicó más tarde en español en la *Revista de Madrid*, II, 1838.

[22] Las representaciones van incluidas en uno de los apéndices de la *Memoria en defensa de la Junta Central* de que se habla luego. Jovellanos fue detenido en Gijón en marzo de 1801. De allí lo condujeron a la Cartuja de Valldemosa en Mallorca. Las representaciones que dirigió al rey no sirvieron más que para extremar el rigor del gobierno. En mayo de 1802 lo encarcelaron en el castillo de Bellver. Al caer Godoy en 1808 fue puesto en libertad.

[23] Es la Memoria en defensa de la Junta Central, publicada en 1811 bajo el título de *Memoria en que se rebaten las calumnias divulgadas contra los individuos de la Junta Central del Reino, y se da razón de la conducta y opiniones del autor desde que recobró su libertad*. Puede leerse en el tomo 46 de la BAE, ed. de Cándido Nocedal, 1858.

[24] Jovellanos, nacido en Gijón en 1744, murió en Puerto de Vega el 27 de noviembre de 1811.

[25] Sin duda Alcalá Galiano estaba confundido. Con anterioridad a 1833, de Jovellanos no veo mencionada más que una *Colección de varias obras en prosa y verso*, adicionadas con algunos notas por D. R. M. C. (Ramón María Cañedo), Madrid, 1830-1832, en 7 volúmenes.

[26] *Cuestiones críticas sobre varios puntos de historia económica, política y militar*. Madrid, 1807.

[27] *Comentario con glosas críticas y joco-serias sobre la nueva traducción castellana de las aventuras de Telémaco*. Madrid, 1798.

[28] *Cartas primera y segunda de un buen patriota que reside disimulado en Sevilla, escritas a un antiguo amigo suyo, domiciliado hoy en Cádiz*. Cádiz, 1811.

[29] Corrijo la fecha que da el autor. La segunda edición de la *Filosofía de la elocuencia* se publicó en Londres en 1812, y estuvo al cuidado de Blanco White.

[30] Las *Instituciones oratorias* de Quintiliano no fueron traducidas al español hasta 1779, siguiendo justamente el texto latino establecido por Charles Rollin, el humanista francés citado a continuación. Su *Traité des études*, 1726-28, cuya parte central comprende la poesía y la elocuencia, fue muy leído en España. También tuvo difusión la *Rhétorique françoise*, de Jean Baptiste Crevier, discípulo de Rollin.

[31] En el *Times* de Londres del 15 de noviembre de 1810 se reseña una sesión de las Cortes en donde Cap-

many pidió que se prohibieran todas las expresiones políticas extranjeras, especialmente francesas, como *marcha, moción, asamblea, escisión, misión.*

[32] El famoso marino Robert Blake (1599-1657) fue enterrado solemnemente como héroe nacional en la Abadía de Westminster en tiempos de Cromwell. De allí sacaron sus restos y los arrojaron con otros a una fosa común al restaurarse años después la monarquía inglesa.

[33] Sobre la *Gaceta de Bayona,* véase más adelante la nota 98.

[34] Quintana nació en Madrid en 1772 y murió en la misma ciudad en 1857.

[35] Según se dijo antes, las *Vidas de españoles célebres* fueron apareciendo en 1807, 1830 y 1833. La otra obra a que se refiere el autor se titula *Poesías selectas castellanas, desde el tiempo de Juan de Mena hasta nuestros días.* Madrid, 1807, 3 vols.

[36] El ensayo histórico sobre la poesía española figura al frente de la mencionada colección de *Poesías selectas castellanas.* J. H. Wiffen lo publicó en inglés juntamente con su traducción de las poesías de Garcilaso. Londres, 1823.

[37] A Quintana se deben los dos tomos del Cancionero y Romancero que forman parte de la *Colección de poetas españoles* publicada a fines del siglo XVIII por don Ramón Fernández (pseudónimo del Padre Estala).

[38] El *Semanario Patriótico* se publicó en tres etapas. La primera en Madrid, de septiembre a diciembre de 1808; la segunda en Sevilla, de mayo a agosto de 1809; la tercera en Cádiz, de noviembre de 1810 a marzo de 1812. Durante la segunda etapa el periódico fue redactado por Blanco White e Isidoro Antillón, aun cuando bajo la responsabilidad de Quintana.

[39] Alcalá Galiano no se equivocó atribuyendo a Robert Southey el artículo (anónimo como todos los demás) de la *Quarterly Review,* octubre de 1817, que trata del libro de Lord Holland sobre Lope de Vega y Guillén de Castro. Allí es donde Southey elogia los escritos políticos de Quintana.

[40] Estala fue catedrático de literatura en los Reales Estudios de San Isidro. Su traducción del *Edipo tirano* se publicó en 1793; un año más tarde la del *Pluto,* de Aristófanes. La primera traducción va precedida de un discurso preliminar sobre la tragedia antigua y moderna; la segunda, de otro sobre la comedia. Estos discursos y los prólogos que puso a varios tomos de su *Colección de poetas españoles* publicada bajo el pseudóni-

mo de Ramón Fernández, son sin duda los escritos de crítica literaria a que alude Alcalá Galiano.

El Viajero Universal, que empezó a publicar en 1797, es una recopilación de descripciones de conocidos viajeros. Tradujo otras obras de autores franceses, y, de una versión francesa, *El espíritu de la amistad*, de Wieland.

Estala dirigió en Madrid durante la ocupación francesa *El Imparcial* o Gazeta Política y Literaria (1809). Al acabar la guerra emigró a Francia, ya viejo y enfermo, y allí debió morir.

[41] De los poemas de Vargas Ponce (Cádiz, 1760. Madrid, 1821) apenas se ha reimpreso alguno burlesco, como la «Proclama de un solterón». La tragedia aludida se titulaba *Abdalaziz y Egilona* y fue representada e impresa en 1804. El *Elogio de Alonso el Sabio* se lo premiaron en 1782.

[42] Los *Elementos de la geografía astronómica, natural y política de España y Portugal* se publicaron por primera vez en Madrid en 1808. Hay traducción francesa de 1823. Antillón publicó otros textos geográficos para uso del Real Seminario de Nobles, donde tenía cátedra desde 1800.

Colaboró en varios periódicos. En el *Semanario Patriótico*, de 1809, Blanco White tuvo a su cargo la sección política, Antillón la historia de la guerra. Luego fundó en Palma la *Aurora Patriótica Mallorquina* (1812-1813).

Las *Noticias históricas sobre Jovellanos*, Palma, 1812, figuran entre las obras prohibidas por la Inquisición al ser restaurada en 1814.

[43] La muerte de Antillón fue más sombría. La orden de arresto de los diputados liberales en 1814 le sorprendió en el pueblo de Mora de Rubielos. Tan enfermo estaba que en vez de conducirle a Madrid se decidió llevarle a Zaragoza. En Teruel se agravó y pidió que le hicieran pasar por Santa Eulalia del Jiloca, su pueblo natal, para despedirse de su madre. Al día siguiente de verla falleció, y allí lo enterraron. En 1821 el Ayuntamiento constitucional exhumó el cadáver con solemnidad para darle sepultura en la capilla de sus antecesores en la Iglesia. Pero en 1823 los realistas rompieron a martillazos el sepulcro, arrastraron los restos hasta la plaza pública y los arrojaron a una hoguera; después esparcieron al viento las cenizas (R. Beltrán y Rózpide, *Isidoro de Antillón*, Madrid, 1903).

[44] Martínez Marina nació en Oviedo en 1754 y murió en Zaragoza en 1833. En 1816 fue denunciado a la

Inquisición. En 1823 lo desterraron a Zaragoza, cuando tenía sesenta y nueve años, sin duda por su actuación en las Cortes y por su *Discurso sobre las sociedades patrióticas* de 1821. De algunas obras de Martínez Marina hay reciente edición de J. Martínez Cardos en la BAE, 1966.

[45] El historiador aludido es S. A. Dunham, autor de una *History of Spain and Portugal,* Londres, 1832, que años más tarde tradujo al español, ampliándola, el propio Alcalá Galiano.

[46] La obra aludida la publicó Sempere en francés durante su emigración: *Histoire des Cortès d'Espagne,* Burdeos, 1815. El comentario de la *Edinburgh Review* (diciembre 1818) es de John Allen. No es del todo cierto que se ponga del lado de Sempere, aunque mencione de paso los errores de Martínez Marina señalados por su adversario. En realidad Allen toma el libro de Sempere como punto de partida para estudiar la antigua legislación germánica en España. De ahí el título del artículo: «The Gothic laws of Spain.» Por lo demás, Allen había comentado ya en la misma revista (octubre 1813) la *Antigua legislación de León y Castilla,* de Marina.

Juan Sempere y Guarinos (1754-1830) fue erudito muy laborioso, autor del *Ensayo de una biblioteca española de los mejores escritores del reinado de Carlos III,* Madrid, 1785-1789 y de la *Biblioteca española económico-política,* 1801 y 1821. Su última obra *Considerations sur les causes de la grandeur et de la décadence de la monarchie espagnole,* París, 1826, no parece haberla conocido Alcalá Galiano.

[47] *Historia de la dominación de los árabes en España,* Madrid, 1820-1821, 3 tomos.

[48] *Poesías de Anacreón, Teócrito, Bion y Mosco,* Madrid, 1796. En años sucesivos publicó otras traducciones de poetas griegos.

[49] Prosper de Barante adquirió renombre con su *Histoire des ducs de Bourgogne de la maison de Valois,* 1824-26.

[50] Se publicó en francés: *Histoire critique de l'Inquisition d'Espagne,* París, 1817-1819, 4 vols. La primera edición española apareció en 1822, también en París (aunque diga Madrid).

[51] Cádiz, 1811. Don Antonio Puigblanch, catedrático de hebreo en la universidad de Alcalá, la publicó bajo el pseudónimo de Notanael Jomtob. Durante su primera emigración en Inglaterra apareció en traducción inglesa,

The Inquisition unmasqued, Londres, 1816, sobre texto más amplio preparado por el propio Puigblanch.

[52] No sé dónde se sacó Alcalá Galiano que Llorente era vasco, puesto que nació en 1756 en Rincón del Soto, cerca de Calahorra. A no ser que lo creyera así por haber publicado en 1806 unas *Noticias históricas de las tres provincias vascongadas.*

[53] *Memorias para la historia de la Revolución española,* con documentos justificativos, recogidas y compiladas por don Juan Nellerto (anagrama de Llorente), París, 1814-1816. *Observations critiques sur le roman de Gil Blas de Santillane,* París, 1822.

[54] Según carta del propio Llorente a Blanco White la orden de expulsión se debió a la presión del Nuncio y del arzobispo de París, principalmente por la publicación de su obra *Portraits politiques des Papes* en 1822. (V. Llorens, *Literatura, historia, política,* Madrid, 1967.)

[55] Alcalá Galiano se refiere a la sesión del 11 de enero de 1823 en que él mismo tomó parte. En las Cortes españolas los diputados solían escuchar los discursos en silencio. Por primera vez en esa ocasión los acogieron con aplausos; Argüelles y Alcalá Galiano fueron sacados en hombros por el público.

[56] El autor alude a la nueva emigración de los liberales a fines de 1823. Llorente murió el 5 de febrero de ese mismo año.

[57] Villanueva había nacido en Játiva en 1757. Murió en Dublin en 1837.

[58] *Catecismo del Estado según los principios de la religión,* Madrid, 1793.

La defensa de la Inquisición en *Cartas de un presbítero español sobre la Carta del Ciudadano Grégoire al señor Arzobispo de Burgos, Inquisidor general de España.* Las publica don Lorenzo Astengo (segundo apellido de Villanueva), Madrid, 1798.

[59] *Vida literaria de don Joaquín Lorenzo Villanueva,* o Memoria de sus escritos y de sus opiniones eclesiásticas y políticas, y de algunos sucesos notables de su tiempo. Con un apéndice de documentos relativos a la historia del Concilio de Trento. Escrita por él mismo. Londres, 1825, 2 tomos.

[60] *Don Termópilo, o Defensa del Prospecto del Dr. Puigblanch.* Por Perico de los Palotes. Londres, 1829. A éste siguieron otros folletos. Los de Puigblanch están recogidos en sus *Opúsculos gramático-satíricos.* Londres 1828-34.

[61] Jaime Villanueva nació en Játiva en 1765 y murió en Londres en 1825. Su erudito *Viaje literario a las Igle-*

sias de España es el fruto de sus investigaciones en archivos de Aragón y Cataluña desde principios de siglo. Al emigrar en 1823 había publicado diez tomos de su obra. Los restantes, hasta 22, vieron la luz entre 1850 y 1852.

[62] He aquí el título completo: *Apología de los palos dados al Exmo. Sr. D. Lorenzo Calvo por el Teniente Coronel D. Joaquín de Osma.* Publícala en obsequio de las Armas y las Letras el Licenciado Palomeque, Pretendiente de Varas y soldado voluntario (porque Dios quiere). Nueva edición, que es la primera después de la última, con notas del Dr. Encina. Cádiz, 1811.

[63] Es raro que Alcalá Galiano no mencione otro folleto más reciente: *Cuatro palmetazos bien plantados por el Dómine Lucas a los Gaceteros de Bayona.* Cádiz, 1830.

Gallardo nació en Campanario, Badajoz, en 1776; murió en Alcoy en 1852.

[64] Sobre este episodio véase Antonio Rodríguez Moñino, *Historia de una infamia bibliográfica (la de San Antonio, de 1823).* Madrid, 1965.

[65] José María Blanco nació en Sevilla en 1775 y murió en Liverpool en 1841. Blanco White fue el nombre que adoptó desde su llegada a Inglaterra en 1810.

Los folletos a que hace referencia el autor deben ser el *Discurso sobre el método de enseñanza de Pestalozzi,* Madrid, 1807, y las *Reflexiones sobre el comercio de esclavos,* Londres, 1814.

Lo sorprendente es que Alcalá Galiano olvide otra revista en español que Blanco dirigía cuando él llegó emigrado a Inglaterra, las *Variedades o El Mensajero de Londres* (1823-1825).

[66] Aunque afrancesado, Reinoso (1772-1841) no salió al parecer de España, pero los amigos que tenía en Francia, Lista principalmente, se encargaron de publicar su obra, cuya primera edición es de Auch, 1816. Volvió a imprimirse en Burdeos, 1818. La edición póstuma de Madrid, 1842, lleva el nombre del autor.

[67] *Examen imparcial de las disensiones de la América con la España.* Londres, 1811. Se tradujo al inglés en 1812, y el mismo año apareció en Cádiz la segunda edición española.

[68] *Constitución para la nación española, presentada a la Junta Gubernativa de España e Indias.* Birmingham, 1810.

[69] Alcalá Galiano se equivoca. Lo que apareció en *El Español* de Blanco (núm. II, febrero 1811) no fue el texto, sino una reseña con abundantes extractos de

la *Introducción para la historia de la Revolución de España,* Londres, 1810.

[70] La *Representación hecha a Fernando VII* apareció en los primeros números de *El Español Constitucional* de Londres (septiembre y octubre de 1818). Se imprimió aparte casi al mismo tiempo y en pocos meses se hicieron varias ediciones. La traducción inglesa es de 1819. También sorprende en este caso que Alcalá Galiano olvide la más importante obra publicada por Flórez Estrada durante los años en que ambos vivieron en Inglaterra, el *Curso de economía política,* Londres, 1828. Hubo además segunda edición en París, 1831, estando Alcalá Galiano en Francia.

Flórez Estrada nació y murió en Austurias (1766-1853). Las obras mencionadas pueden leerse ahora en la BAE, 1958, editadas por Miguel Artola y L. A. Martínez Cachero.

[71] Además del *Diccionario de Hacienda,* Londres, 1825-1827, en cinco volúmenes, Canga Argüelles (1770-1843) publicó en Inglaterra obras de carácter político e histórico. El *Ensayo sobre las libertades de la Iglesia española en ambos mundos,* Londres, 1826, apareció sin su nombre. Más importancia tienen sus *Observaciones sobre la historia de la guerra de España que escribieron los señores Clarke, Southey, Londonderry y Napier,* Londres, 1829-1830.

[72] En los *Ocios de Españoles Emigrados.* Ver página 121.

[73] *Observaciones dirigidas a los tenedores de los documentos conocidos en Europa con el nombre de Bonos de las Cortes de España,* Londres, 1831.

[74] El elogio de Isabel la Católica que Clemencín leyó en la Academia de la Historia en 1807 y publicó en 1820 ocupaba 56 páginas; pero el que la misma Academia dio a luz en 1821, acompañado de numerosas «ilustraciones» sobre su reinado, pasa de seiscientas.

[75] Hay que recordar que en esta polémica terció el propio Alcalá Galiano en favor de Calatrava.

[76] Cuando Alcalá Galiano redactaba estas páginas, don Agustín Argüelles había terminado dos obras que aparecieron en Londres en 1834 y 1835 respectivamente; una sobre la sentencia contra los diputados que votaron la deposición del rey en 1823, la otra sobre la reforma constitucional de las Cortes de Cádiz.

[77] Alcalá Galiano en un artículo de 1862, con motivo del fallecimiento de Martínez de la Rosa, menciona dos de ellos, el titulado *Carta de un maestro de escuela de Polopos,* en defensa de Quintana contra los virulentos

ataques de Capmany, y otro contra la Inquisición, bajo el pseudónimo de Ingenio Tostado.

[78] «La actual revolución de España, bosquejada en febrero de 1810» apareció en los núms. 7 y 8 de *El Español* (octubre y noviembre de 1810).

[79] La *Poética*, con las notas, ocupa dos tomos de las *Obras literarias* que el autor publicó en París entre 1827 y 1830.

[80] Alcalá Galiano se refiere probablemente a la *Memoria en que se examina si la moneda es común medida de los géneros comerciables*, Cádiz, 1812, que el autor incluyó en sus *Discursos económico-políticos*, París, 1829.

[81] *Apuntes sobre los principales sucesos que han influido en el actual estado de la América del Sud.* La primera edición de esta obra se publicó anónima y clandestinamente en París (aparece como impresa en Londres) por temor a posibles represalias del gobierno francés. Sólo en la tercera edición, muy ampliada, de Cádiz, 1836, figura el nombre del autor.

[82] Las traducciones de Walter Scott (primeras que se hicieron al español directamente del inglés) las editó Ackermann en Londres en 1825 y 1826, respectivamente.

De Mora son los cuatro *No me olvides* que aparecieron entre 1824 y 1827. (Sobre Mora y otros escritores aquí mencionados, que emigraron a Inglaterra en 1823, puede verse V. Lloréns, *Liberales y Románticos*, 1954, segunda edición, 1968, Editorial Castalia).

[83] A los *Lamentos de un pobrecito holgazán*, de 1820 (reeditados por Valeriano Bozal, Ciencia Nueva, Madrid, 1968), siguieron las *Cartas del madrileño*, 1821, que habían aparecido en las páginas del *Censor*.

[84] *Diccionario geográfico-estadístico de España y Portugal*, Madrid, 1826-28, 11 vols.

El crítico fue don Fermín Caballero, que de 1827 a 1830 fue publicando una serie de folletos bajo el título, a veces modificado, de *Corrección fraterna al Presbítero Miñano.*

[85] *Histoire de la revolution d'Espagne de 1820 à 1823.* Par un temoin oculaire. París, 1824, 2 vols.

Otros afrancesados escribieron también contra los liberales después de 1823 —los tres tomos de *El jacobinismo* de Hermosilla— para congraciarse con la restaurada monarquía «pura» y hacer quizá olvidar al mismo tiempo las huellas de su pasado afrancesamiento. Pero Miñano, por lo visto, quería borrar igualmente todo rastro de su *Pueblo Soberano* y su *Defensa de la masonería* de la etapa constitucional. Lo consiguió. Fuera de algún contemporáneo, nadie apenas ha vuelto a mencionar estos escritos, que quizá publicó anónimamente. Miñano llegó a actuar de agente del Gobierno español en Bayona durante los intentos de invasión de los emigrados en 1830, según se desprende de los informes del embajador de España en París (Archivo de Simancas, Estado, legajo 8235), y confirman recientes trabajos de Robert Marrast.

[86] *Disertación histórica sobre la parte que tuvieron los españoles en las guerras de Ultramar o de las Cruzadas,* en *Memorias de la Real Academia de la Historia,* V, 1816.

[87] *Colección de viajes y descubrimientos que hicieron por mar los españoles desde fines del siglo XV,* Madrid, 1825-1837. Esta obra, juntamente con una Disertación sobre la historia de la náutica, ha sido reeditada por C. Seco Serrano en la BAE, t. 75 y 76.

Washington Irving cita varias veces a Navarrete en su *Life and Voyages of Christopher Columbus,* y lo elogia particularmente en el prefacio de la obra.

[88] Nicolás Pérez el Setabiense, *El Anti-Quijote.* Tomo primero (y único publicado), Madrid, 1805. El autor se titulaba «socio de varias academias». Escribió otras obras, y hay alguna colaboración suya en periódicos de principios de siglo.

[89] Poco se sabe de Santiago Jonama, fuera de lo que aquí y en sus *Memorias* dice Alcalá Galiano. Fueron muy amigos, y juntos redactaron *El Imparcial,* periódico gaditano que no vivió más que un mes (octubre 1812). La obra de Jonama aludida se titula *De la prueba por jurados,* Madrid, 1821. Años antes, estando en las Filipinas como funcionario de Hacienda, publicó un *Ensayo sobre la distinción de los sinónimos de la lengua castellana,* Madrid, 1806.

[90] Gorostiza colaboró en varios periódicos, como la *Crónica Científica y Literaria,* de José Joaquín de Mora, que en 1820 se tituló *El Constitucional,* y el *Correo General de Madrid* (1820-1821). Aparte de algunos folletos políticos y satíricos que se le atribuyen, Gorostiza fue autor de una *Vida de Máiquez,* Madrid, 1820, hoy desconocida.

[91] *El Censor,* periódico semanal, se publicó de 1820 a 1822. En su última etapa atacó políticamente a Alcalá Galiano.

El Zurriago, periódico satírico de los «descamisados», dirigido por Félix Mejía y Benigno Morales (1821-1823).

La *Miscelánea de Comercio, Artes y Literatura,* de Javier de Burgos empezó en diciembre de 1819 y continuó en el período constitucional bajo el título de

Miscelánea de Comercio, Política y Literatura hasta septiembre de 1821.

Burgos dirigió de 1821 a 1822 *El Imparcial*, en donde colaboraron Lista, Miñano, Hermosilla y Almenara, es decir, la plana mayor de los afrancesados.

El Universal Observador Español (1820-1823) lo dirigió Manuel José Narganes, también afrancesado, que había sido antes de la invasión napoleónica profesor en el Real Seminario de Vergara y catedrático de Ideología y Literatura en el Colegio de Sorèze. En 1809 publicó en Madrid unas *Cartas sobre la instrucción pública en España.*

El Espectador, de Evaristo San Miguel, se publicó de 1820 a 1823. San Miguel redactó juntamente con Alcalá Galiano la *Gaceta Patriótica del Ejército Nacional*, Cádiz, 1820.

Don Juan Pérez de Guzmán en un artículo de *La España Moderna* (enero 1904) habla de *El Conservador* (marzo-septiembre 1820) como periódico redactado por Alcalá Galiano y Angel de Saavedra; pero lo que dice Alcalá Galiano en sus *Memorias* hace improbable tal atribución. *El Conservador* se distinguió por su radicalismo político; el último número fue mandado recoger por considerarlo «notoria y altamente injurioso a la Dignidad Real».

[92] No he sabido cómo traducir la expresión inglesa *trunk makers* (los que hacen baúles), alusiva entonces al uso de hojas de libros que no tenían salida para forrar interiormente los baúles.

[93] *Resumen histórico de la Revolución de España*, por el P. Maestro Salmón, del Orden de San Agustín. Cádiz-Madrid, 1812-1814. No obstante lo dicho por Alcalá Galiano, hubo una segunda edición en 1820. Quizá la explicación es la que da Gómez Imaz en *Los periódicos durante la Guerra de la Independencia:* A su regreso a España Fernando VII hizo recoger la obra del maestro Salmón por las enormidades que allí se decían contra sus padres. El autor trató de enmendar el texto en la segunda edición, pero con tan mala fortuna que vino a confirmar cuanto había dicho antes.

[94] *Historia de la Guerra de España contra Napoleón Bonaparte*, escrita y publicada de orden de S. M. Tomo I. Madrid, 1818. Al publicarse estos artículos de Alcalá Galiano el conde de Toreno había terminado su *Historia del levantamiento, guerra y revolución de España*, que empezó a escribir en París en 1827 y publicó en 1835; pero con anterioridad había dado un breve *Aperçu des*

révolutions survenues dans le gouvernement d'Espagne de 1808 à 1814. París, 1822.

[95] *Historia de la literatura española,* escrita en alemán por F. Bouterwek, traducida al castellano y adicionada por don José Gómez de la Cortina y Nicolás Hugalde y Mollinedo. Tomo I. Madrid, 1829. No se publicó más que este tomo, que trata de la literatura medieval. Las notas de los traductores ocupan más de la mitad del libro.

[96] La edición del *Quijote* con el comentario de Clemencín se publicó en Madrid de 1833 a 1839 en seis volúmenes. Sólo los cuatro primeros se deben totalmente a Clemencín, que murió el 30 de julio de 1834.

[97] *Comentario crítico-jurídico-literal a las ochenta y tres leyes de Toro.* Madrid, 1827. Reeditado varias veces en el siglo pasado.

[98] El autor se refiere a la *Gaceta de Bayona* (octubre 1828-agosto 1830) redactada por Lista, Reinoso y Miñano principalmente. Interrumpida a raíz de la revolución de julio, vino a continuar en territorio español con el título de *Estafeta de San Sebastián* (octubre 1830-julio 1831). (Véase H. Juretschke, *Vida, obra y pensamiento de Alberto Lista,* 1951 y R. Marrast en *Cahiers de Caravelle,* 1966.)

Hasta 1834 no hubo periódicos políticos en Madrid, fuera de la *Gaceta* oficial, y sólo en los últimos años de Fernando VII apareció alguno literario. Casi al mismo tiempo que la *Gaceta de Bayona* se empezó a publicar el *Correo Literario y Mercantil,* de Madrid (1828-1833). En 1831 Carnerero fundó las *Cartas Españolas,* que tuvieron un año de vida, y luego la *Revista Española* (1832-1836). Quizá Alcalá Galiano no conoció directamente alguno de estos periódicos; pero en *The Athenaeum* y otras publicaciones inglesas de esos años se comentó su aparición. La *Foreign Review* dio cuenta de *El duende satírico del día,* de Larra.

[99] Salomón Gessner (1730-1788), poeta y pintor suizo-alemán, cuyos *Idilios* pastoriles fueron imitados en toda Europa. Las obras poéticas de Hayley se publicaron en 1785. *Les Jardins* de Delille (1738-1813) son un buen ejemplo de la poesía descriptiva y campestre que le dio fama. El nombre de Metastasio (1698-1782) va unido como libretista a un brillante período de la ópera italiana.

[100] Simonde de Sismondi, *De la littérature du Midi de l'Europe,* 1813. Hubo traducción española muy tardía (1842).

[101] En 1817 Meléndez Valdés fue enterrado clandesti-

namente por su viuda en una casa de campo cerca de Montpellier, donde había fallecido, por miedo a la disección; dos años después trasladaron sus restos a la iglesia de Montferrier; en 1828 el duque de Frías y Juan Nicasio Gallego los hicieron transportar al cementerio del Hospital de San Carlos de Montpellier; en 1866 fueron llevados a España y sepultados en la iglesia de San Isidro; por último, en 1900 recibieron solemne sepultura, juntamente con los de Moratín, Donoso Cortés y otros personajes, en el cementerio de San Isidro. G. Demerson, *Don Juan Meléndez Valdés et son temps*. París, 1962.

[102] En la edición de Valladolid, 1797.

[103] El artículo de la *Foreign Quarterly Review*, en vol. II, febrero-junio 1828. El de la *Foreign Review*, núm. 3, 1828, es de Pablo Mendíbil.

[104] *Obras dramáticas y líricas* de don Leandro Fernández de Moratín, entre los Arcades de Roma, Inarco Celenio. Unica edición reconocida por el autor. París, 1825, 3 vols. Aunque ampliado después por Moratín, hasta formar una breve historia del teatro español en el siglo XVIII, el prólogo de esta edición contiene ya la parte en que el autor exponía sus ideas dramáticas.

[105] *La escuela de los maridos* y *El médico a palos.*

[106] *Canon,* ley, regla, decreto y *cañón* de artillería, respectivamente. Hamlet, al quedar solo en el acto primero, escena quinta, dice entre otras cosas:

> O that the Everlasting had not fix'd
> His canon gainst self-slaughter!

que podría traducirse: ¡Oh, que no haya el Todopoderoso decretado una ley contra el suicidio!

Moratín traduce: «O el Todopoderoso no asestara el cañón contra el homicida de sí mismo», y en una nota de la primera edición comenta: «Pintar al Omnipotente arrojando rayos a los hombres, ya es común; pero imaginársele disparando un cañón de artillería, es cosa muy nueva por cierto. Nótese que en tiempo de Hamlet no había cañones ni pólvora».

[107] Los comentarios de Voltaire en su edición del teatro de Corneille iban acompañados de la traducción fragmentaria al francés del *Julio César* de Shakespeare y de *En esta vida todo es verdad y todo mentira* de Calderón, con el objeto de comparar estas obras con otras de Corneille. Esas traducciones llevaban a su vez notas del propio Voltaire, fuente sin duda, aunque no única, de las de Moratín a *Hamlet*.

[108] Los *Orígenes del teatro español* de Moratín se publicaron por primera vez en la edición que de sus obras hizo la Academia de la Historia en 1830.

[109] Alcalá Galiano cita de memoria casi literalmente las palabras de Munárriz: «La posteridad dará su propio lugar a las tragedias de Don Nicasio Alvarez Cienfuegos, el primero que entre nosotros ha dado a este género su estilo, su colorido y su tono.»

[110] Las tragedias *Idomeneo, Zoraida, La Condesa de Castilla* y *Pítaco,* juntamente con *Las hermanas generosas* y las poesías, en *Obras Poéticas.* Madrid, 1816, 2 vols.

[111] Según el Conde de la Viñaza, en 1799 se publicó una colección de *Muestras de los punzones y matrices de la letra que se funde en el obrador de la Imprenta Real,* y en ella se incluyeron una porción de artículos sobre sinónimos escritos por Cienfuegos. Solo en 1835 se imprimieron por separado.

[112] Estos versos son de una elegía de Lista a la muerte de Meléndez Valdés.

Cienfuegos murió en Orthez en julio de 1809. Había nacido en Madrid en 1764.

[113] Véase anteriormente nota 17.

[114] He aquí un fragmento de la dedicatoria:

Mi timidez iguala a mi respeto;
Pero vos lo quereis; y a quien los hados
Quisieron siempre defender propicios
Y en la alta cima del poder sentaron,
¿Cómo un flaco mortal, que sin su escudo
Juguete fuera del rencor contrario,
Este esfuerzo, aunque débil, negaría,
Sin riesgo al fin de parecer ingrato?

[115] *La muerte de Abel* la estrenó Máiquez en 1803, *Blanca y Moncasín o Los Venecianos* en 1802. Saviñón obtuvo aún mayor triunfo con *Roma libre,* versión del *Bruto primo* de Alfieri, estrenada en Cádiz en 1812.

Tanto uno como otro traductor pagaron caro su liberalismo al retorno de Fernando VII. La Calle fue enviado al presidio del Peñón de Alhucemas, Saviñón murió en la cárcel.

[116] Que las ideas literarias del patriota Arriaza eran francesas lo prueba también su traducción del *Arte poética* de Boileau en 1807.

[117] Arriaza publicó contra Blanco un folleto titulado *El Anti-Español* y un *Breve registro del periódico intitulado El Español,* hoy inasequibles. Pero los ataques

de Arriaza y de otros contra Blanco hallaron eco en el *Times* durante algunos meses. Blanco apenas contestó más que una vez desde las páginas de *El Español* a los ataques de Arriaza.

[118] Sánchez Barbero (1764-1819), humanista salmantino, escribió también versos latinos hoy perdidos. Poco afortunado en el teatro; una de sus piezas dramáticas fue objeto de la sátira de Arriaza. Colaborador de varios periódicos, en 1813 dirigió en Madrid *El Ciudadano Constitucional.* Por sus ideas políticas fue encarcelado en 1814 y condenado a diez años de presidio. Lo enviaron al de Melilla en 1816 y allí murió tres años después.

[119] María Rosa Gálvez, la protegida de Godoy a que hace referencia el autor anteriormente, nació en Málaga en 1768. En 1804, dos años antes de morir, publicó en Madrid sus *Obras poéticas,* que contienen, además de poesías líricas, varias comedias y tragedias y una ópera.

[120] El aragonés José Mor de Fuentes (1762-1848) fue escritor prolífico y variado, según puede verse en la autobiografía literaria *Bosquejillo de su vida y escritos,* 1836.

La primera edición de *La Josefina* es de 1798, pero el autor amplió la novela posteriormente. Publicó poesías y obras dramáticas y una traducción del *Werther* de Goethe.

Las irónicas palabras finales de Alcalá Galiano quizá se explican teniendo en cuenta la extraordinaria vanidad literaria y la susceptibilidad personal de Mor de Fuentes.

[121] Don Gaspar María de Nava Alvarez de Noroña (1760-1815), además de la *Ommiada,* publicada poco después de su muerte, fue autor de un poema heroicocómico, *La Quicaida,* 1779. El mismo año en que Alcalá Galiano redactaba estas páginas aparecieron en París sus *Poesías asiáticas,* traducidas del inglés.

[122] Eugenio de Tapia (Avila 1776-Madrid 1860) tradujo en su juventud obras dramáticas francesas y compuso un par de comedias originales. Hoy se le recuerda más bien como poeta satírico.

[123] No sé en qué otro traductor del poema de Dryden pensaría Alcalá Galiano; pero también fue vertido en verso al español por Juan María Maury, de quien se habla a continuación.

[124] Juan María Maury (Málaga, 1772-París, 1845) emigró a Francia después de la derrota de las tropas napoleónicas en la península, y allí residió hasta su muerte.

La antología mencionada se titula *Espagne Poétique*. Choix de poésies castillanes depuis Charles Quint jusqu'à nos jours mises en vers francais. Paris, 1826-27, 2 tomos. Blanco White, amigo personal suyo, elogia la obra en el artículo «Spanish Poetry and Language» de su propia *London Review* (1829).

[125] En vida suya don Juan Nicasio Gallego (Zamora 1777-Madrid 1853) no recogió en volumen sus producciones poéticas; lo hizo la Academia Española un año después de su muerte. Hubo, sí, en Filadelfia en 1829 una edición de sus poesías preparada por el escritor cubano Domingo del Monte, que seguramente no conocía Alcalá Galiano.

[126] Las poesías de don Bernardino Fernández de Velasco, duque de Frías (1786-1851), también fueron recogidas póstumamente en 1857.

[127] Se refiere a los jóvenes escritores sevillanos que formaron la Academia de Letras Humanas mencionada antes.

[128] *La inocencia perdida,* el poema de Reinoso premiado por la academia a fines de 1799, se publicó en Madrid en 1804. El artículo de Quintana apareció en las *Variedades de Ciencias, Literatura y Artes,* t. III, 1804, y en la misma revista se publicó el de Blanco, t. V, 1805.

No hay duda de que Blanco White en 1833 hubiera tenido que retractarse de lo dicho en aquella ocasión, cuando sus principios literarios eran muy otros. En carta no muy distante de esa fecha se asombra de que mientras algún otro amigo sevillano de aquellos tiempos, como Manuel del Mármol, parecía renovarse poéticamente en la vejez, Reinoso siguiera escribiendo igual que a fines del siglo anterior.

[129] Desde su juventud Alberto Lista (1775-1848) había publicado muchas de sus poesías en periódicos, hasta 1822, fecha de la primera edición de sus *Poesías*; la única que pudo conocer Alcalá Galiano antes de redactar estos artículos, puesto que la segunda es de 1837. Hoy, si no todas, la mayor parte de sus composiciones pueden leerse en el tomo 67 de la BAE. Su labor como escritor político y crítico literario va unida hasta estos años a publicaciones periódicas, algunas de las cuales —*El Censor,* la *Gaceta de Bayona*— se men cionan anteriormente.

[130] Manuel María de Arjona (1771-1820), el mentor literario de Lista, Reinoso y Blanco en los días de la referida academia sevillana, publicó en 1808 su poema

Las ruinas de Roma. Esta y otras composiciones están recogidas en el tomo 63 de la BAE.

[131] Además de los *Salmos,* 1819-1827, González Carvajal publicó *Los libros poéticos de la Santa Biblia,* 1827-1832. Salvá reimprimió los *Salmos* en Londres en 1829.

[132] La oda de Roldán apareció en el *Correo Literario y Económico* de Sevilla (núm. 53, 1804). Carvajal, con el pseudónimo de El Capitán don Francisco Hidalgo Muñatones, publicó su crítica en *El Regañón* de Madrid (núms. 60 y 61, 1804); la réplica de Reinoso, bajo el nombre de Eugenio Franco, en el *Correo* de Sevilla (núms. 95 a 97, 1804).

Lo que suscitó cuestión parecida en Inglaterra fue el prefacio de Wordsworth a la edición de 1800 de sus *Lyrical Ballads.*

[133] José Joaquín de Mora (Cádiz, 1783-Madrid, 1864) no recogió sus poesías dispersas en publicaciones periódicas españolas, inglesas e hispanoamericanas hasta 1836. Claro que en Londres, además de los ya citados *No me olvides,* había publicado unas breves *Meditaciones poéticas,* 1826.

[134] En un artículo ya citado de 1862 sobre Martínez de la Rosa (ahora en la BAE, 84, ed. de Jorge Campos), Alcalá Galiano menciona de este autor, además de la oda al combate de Trafalgar, el poema *Dios* en verso suelto, una sátira, *La Contradanza* y *El Vals.* En 1808, en vísperas del levantamiento nacional, se le atribuyó una composición en verso en favor de los franceses. Luego, según Alcalá Galiano, contrajo matrimonio, y cuando el general Venegas, aficionado a las letras, fue nombrado virrey de México, se llevó a Roca consigo. En México murió todavía joven.

Por otra parte, Cejador en su *Historia de la lengua y literatura castellana* (VI, 363), ignorando lo dicho por Alcalá Galiano, afirma que el granadino Ramón Roca publicó en México unas *Rimas de arte mayor,* 1812, y una ópera cómica, *Los dos gemelos,* 1816, y que allí falleció en 1820, después de haber sido gobernador de California. Seguramente se trata del mismo escritor.

[135] La nota crítica de la *Foreign Quarterly Review* en t. IV, 1829.

[136] Esos poemas cortos los recogió el autor en un tomo de *Poesías* que apareció en Madrid en 1833, cuando Alcalá Galiano escribía estas líneas.

Lo que puede un empleo se representó en Cádiz en 1812. El propio Alcalá Galiano ha referido en sus *Memorias* las curiosas circunstancias del estreno.

[137] *La Conjuración de Venecia* no se representó has-

ta 1834, cuando el autor estaba al frente del gobierno español, pero se publicó en 1830 en la edición de *Obras literarias* de París. La misma edición incluye otro drama de Martínez de la Rosa del que parece haberse olvidado Alcalá Galiano: *Aben Humeya*, cuya versión original en francés se representó en París en julio de 1830.

Las obras de Martínez de la Rosa pueden leerse ahora en la edición de Carlos Seco Serrano. Madrid, 1962, 8 vols. (BAE).

[138] El poema *Zaragoza* lo publicó Martínez de la Rosa en Londres, 1811, y allí fue favorablemente comentado por Blanco White en *El Español*, marzo 1811. La advertencia preliminar que lo acompaña abona lo dicho aquí por Alcalá Galiano.

[139] El que llama Alcalá Galiano, quizá por errata, Padre Valladares, debe ser Fray Ramón Valvidares, jerónimo sevillano, autor de *La Iberiada*, poema épico a la gloriosa defensa de Zaragoza. Cádiz, 1813. Hubo segunda edición en 1825.

[140] *Las poesías de Horacio* traducidas en versos castellanos, con notas y observaciones críticas. Obra dedicada al Rey. Madrid, 1820-1823, 4 tomos.

[141] La comedia *El optimista o Así como está, está bien*, fue representada por Máiquez, muy a disgusto suyo, en 1803. El haberse negado Máiquez a representar otra comedia de Burgos, *Los tres iguales*, en 1819, fue causa o pretexto para que el gobierno desterrara de Madrid al famoso actor.

Nadie, ni los eruditos que han estudiado la vida o la obra literaria de Burgos, ha mencionado la comedia *Calzones en Alcolea*. Sin duda el autor tuvo medios para hacerla olvidar. Pero a lo que parece no fue esto lo único que Burgos escribió contra los españoles adversos al gobierno de Bonaparte. En el núm. 36 de la *Gaceta oficial del Gobierno de Vizcaya* periódico josefino que se publicó en San Sebastián en 1810, apareció en forma de romance «una infame y repugnante sátira contra nuestros patriotas, generales y guerrilleros, sin olvidar al propio marqués de la Romana», según palabras del historiador Gómez Imaz, en su obra *Los periódicos durante la guerra de la Independencia*. He aquí un pasaje de muestra:

El es, miradle; Romana
es ese marqués invicto,
que tantas veces huyendo
miedo infundió al miedo mismo.

Ahora bien, el romance aparece firmado por F. X. B., que son las iniciales de Francisco Xavier Burgos.

[142] No es cierto que evadiera por completo la ley que lo condenaba a destierro, a pesar de haber escrito contra los «anarquistas de España», como llamaron algunos a los liberales. Estuvo emigrado en Francia, aunque menos tiempo que otros. Hasta la emigración debió serle provechosa. Mientras Lista se ganaba unos francos ayudando como sacerdote a decir misa en algunos pueblos, o dando clases de matemáticas, Burgos, poniendo en práctica su talento para los negocios, se dedicó a empresas comerciales.

[143] *La Miscelánea.* Véase anteriormente nota 91.

Don Francisco Javier de Burgos nació en Motril en 1778; murió en Madrid en 1848.

[144] A las traducciones de *La mort d'Abel* de Gabriel Legouvé (1764-1812) por Saviñón, y de *Blanche et Montcassin, ou les Venitiens* de Antoine Arnault (1766-1834) por La Calle ya se ha hecho referencia antes.

Otra obra de Arnault, *Oscar,* traducida por Juan Nicasio Gallego, fue asimismo estrenada por Máiquez.

Jean François Ducis (1733-1816) fue el gran traductor o deformador de Shakespeare, adaptándolo al gusto francés de su tiempo. El mayor triunfo lo obtuvo con *Otelo,* representado en 1792 por Talma; la traducción española de Teodoro de La Calle la representó Máiquez por primera vez en Madrid en 1802.

Ya se mencionó antes la traducción que hizo Saviñón del *Bruto primo* de Vittorio Alfieri (1749-1803). Su *Polinice,* traducida por Saviñón con el título de *Los hijos de Edipo* 1806, y *Orestes,* 1807 por Dionisio Solís, fueron obras representadas igualmente por Máiquez.

[145] *El pastelero de Madrigal,* obra de Jerónimo de Cuéllar, refundida por Dionisio Solís.

[146] Tomás García Suelto (1778-1816?). Se le menciona por algunas adaptaciones del teatro francés, sobre todo por la del *Cid* de Corneille, que representó Máiquez con gran éxito en 1803.

Fuera de Alcalá Galiano en estas páginas, nadie ha hablado de su *Chismoso,* comedia reseñada en el *Memorial Literario* como obra del doctor don Francisco Meseguer (probablemente pseudónimo), a quien la atribuyen Moratín, Mesonero y algunos historiadores de la literatura española.

A pesar de que la reseña del *Memorial Literario* era más bien favorable, el autor, sin dar nunca su nombre, publicó en *El Regañón General* (agosto 1803) una larga composición en verso titulada *El Pasagonzalo,* contestando a sus críticos. A esa composición, que ocupa casi tres números del periódico, y revela una vanidad tan superlativa como injustificada, pertenece el pasaje citado por Alcalá Galiano. García Suelto, médico de Máiquez y perteneciente a la Academia de Medicina, adquirió también fama con sus escritos profesionales, no más duradera que la literaria.

En 1813 salió de España como afrancesado. Estaba en Auch en 1816. Debió morir ese mismo año en París. Lo enterraron, según Mesonero Romanos, en el Père Lachaise, en una sección que llamaban la Isla de los españoles por haber numerosas sepulturas de expatriados de la misma nacionalidad. Allí fue a parar más tarde Moratín.

[147] *Revista del antiguo teatro español* o selección de piezas dramáticas desde el tiempo de Lope de Vega hasta el de Cañizares, castigadas y arregladas a los preceptos del arte por el emigrado don Pablo Mendíbil, profesor de lengua castellana en Londres. Londres, Imprenta Española de M. Calero, 1826. Este tomo primero, único publicado, contiene *El astrólogo fingido* de Calderón.

[148] Don Juan Nicolás Boehl de Faber nació en Hamburgo en 1770 y murió en Cádiz en 1836.

Las colecciones poéticas a que alude el autor son la *Floresta de rimas antiguas castellanas,* Hamburgo, 1821-1825 y el *Teatro español anterior a Lope de Vega,* Hamburgo, 1832.

En 1796 Boehl casó con doña Francisca Larrea Aheran, cuya madre era irlandesa. A fines del mismo año nació su hija Cecilia, la futura novelista Fernán Caballero. A la tertulia literaria que reunieron los Boehl en los primeros años del siglo asistió José Joaquín de Mora, y llegó a ser gran amigo suyo.

La primera escaramuza en torno a Calderón se produjo en 1814 al reproducir Boehl en el *Mercurio Gaditano* unos extractos de las lecciones de literatura dramática de A. W. Schlegel (Viena, 1811), seguidos por la réplica de Mora en el mismo periódico. La polémica la reanudó Boehl en el *Diario Mercantil* de Cádiz a raíz de la representación del *Nino II* adaptado por Mora. Este contestó en su *Crónica Científica y Literaria* de Madrid. Entonces fue cuando terció en la contienda Alcalá Galiano, que no otro es el amigo de Mora mencionado en el texto.

Boehl fue recogiendo sus artículos en folletos sucesivos, *Pasatiempos críticos,* y al final en un volumen titulado *Vindicaciones de Calderón y del teatro antiguo español contra los afrancesados en literatura.* Cádiz, 1820.

El folleto de Mora y Alcalá Galiano, que el censor de Madrid no autorizó, se titulaba *Los mismos contra los propios o Respuesta al Pasatiempo crítico.* De esta obra, aparte de lo que dice Boehl de Faber en sus réplicas, no hay más referencia que la de Camille Pitollet en *La querelle caldéronienne de Johan Nikolas Boehl von Faber et José Joaquín de Mora,* París, 1909. La polémica, como dice Alcalá Galiano, apenas tuvo resonancia en España, pero fue comentada brevemente en la *Revue Encyclopédique* de París (julio, 1819).

[149] Gorostiza había nacido en Veracruz en 1791. Después de desempeñar el cargo diplomático que menciona Alcalá Galiano, regresó a su país de origen, donde murió en 1851.

[150] Ningún mortal es cuerdo a todas horas.

[151] *El príncipe perseguido,* aunque atribuida a veces a Pérez de Montalbán, parece ser obra de Luis de Belmonte Bermúdez, escrita en colaboración con Moreto y Martínez de Meneses. A no ser que Alcalá Galiano pensara en *El príncipe peregrino* de Montalbán.

[152] Las dos comedias mencionadas y alguna otra como *Las costumbres de antaño* y *Tal para cual,* fueron recogidas por Gorostiza en dos ediciones: *Teatro original,* París, 1822, y *Teatro escogido,* Bruselas, 1825.

Contigo pan y cebolla, hoy la más conocida de sus obras, ignorada todavía por Alcalá Galiano al redactar este panorama, se publicó en Londres en 1833.

[153] Bretón de los Herreros (1796-1873) se había ya dado a conocer en 1824 con la comedia *A la vejez viruelas,* pero la obra que le afirmó como autor cómico fue *Marcela o ¿a cuál de los tres?,* estrenada en Madrid a fines de 1831. El tomo de *Poesías* que publicó ese mismo año, hace ver lo equivocado que anduvo Alcalá Galiano en su predicción literaria.

[154] Don José Joaquín de Virués y Espínola (1770-1840) publicó *La Enriada* en verso en Madrid en 1821. La traducción de don Pedro Bazán de Mendoza, militar y afrancesado como Virués, apareció en Alais en 1816.

Gli animali parlanti, 1802, de Giambatista Casti, poema épico en 26 cantos, es como un enorme apólogo donde se satirizan los sistemas políticos de la época. *El cerco de Zamora* es de 1832.

[155] Creo que Alcalá Galiano alude a una larga oda titulada «A la amnistía de 1832» de Joaquín Francisco Pacheco, escritor y político del siglo pasado, que contaba cuando la compuso veinte y cuatro años de edad.

La composición, si no tiene otros méritos, es en efecto audaz políticamente para el momento en que se escribió. Refiriéndose a la persecución política que tenía a tantos españoles en la cárcel o la emigración, Pacheco se atrevió a decir:

> No Patria, no: mi musa,
> Cuando el destino tu esplendor desdora,
> Su grande acento desplegar rehusa:
> No canto yo mientras España llora.

No sabemos dónde apareció la oda de Pacheco, si como parece fue publicada entonces. El autor la recogió en su vejez en una obra titulada *Literatura, historia y política.* Madrid, 1864.

«Ultima amnistía de la reina» no quiere decir que Alcalá Galiano se refiera a la de octubre de 1833. Al redactar estas páginas poco antes de esa fecha, pensaba naturalmente en la amnistía del 15 de octubre de 1832.

[156] *Discurso sobre el influjo de la crítica moderna en la decadencia del teatro antiguo español, y sobre el modo con que debe ser considerado para juzgar convenientemente de su mérito peculiar.* Por A. D. Madrid, 1828.

[157] Alcalá Galiano se refiere a la colección de *Romances castellanos anteriores al siglo* XVIII, publicada por Durán entre 1827 y 1832, que viene a ser como un anticipo de su *Romancero general* en la Biblioteca de Autores Españoles.

[158] *Colección general de comedias escogidas del teatro antiguo español,* con el examen crítico de cada una de ellas. Madrid, 1826-1834. (Dirigida por Manuel Bernardino García Suelto, hermano de Tomás, Agustín Durán y Pedro de Gorostiza, hermano de Manuel Eduardo.)

[159] Véase anteriormente nota 98.

[160] No a principios del siglo XIX sino a fines del anterior, en 1788, publicó García Malo su traducción de la *Iliada.* La francesa de Anne Lefèvre, mujer del humanista André Dacier, es de 1699. Charles François Lebrun, destacado personaje político durante el Consulado de Bonaparte y el Imperio, publicó su traducción del poema homérico en 1776. La de Paul J. Bitaubé es de 1780.

[161] *Gramática de la lengua castellana, según ahora se habla,* ordenada por don Vicente Salvá. París, 1830.

Salvá (Valencia, 1785-París, 1849) tuvo librería en Londres, luego en París, y fue editor de obras españolas antiguas y modernas, algunas de sus compañeros de destierro, como *El moro expósito,* de Rivas, mencionado a continuación.

[162] Los *Ocios de españoles emigrados* se publicaron en Londres mensualmente de abril de 1824 a octubre de 1826; reaparecieron como revista trimestral de enero a octubre de 1827. Mendíbil entró a formar parte de la redacción al fallecer Jaime Villanueva. En el periódico escribieron, además de los redactores, otros emigrados como Angel de Saavedra, Flórez Estrada, La Gasca.

[163] *Biblioteca selecta de la literatura española* o modelos de elocuencia y poesía tomados de los escritores más célebres desde el siglo XIV hasta nuestros días. Burdeos, 1819, 4 tomos. La larga introducción es de Mendíbil. Pablo Mendíbil, que nació no en Vizcaya, como dice luego Alcalá Galiano, sino en Alava en 1788, falleció en Londres en 1832, poco después de ser nombrado profesor de español en Kings College.

Mendíbil colaboró no sólo en los *Ocios de españoles emigrados,* sino en las *Variedades* de Blanco White y el *Repertorio Americano* de Andrés Bello. En las notas precedentes se hace referencia a alguno de sus escritos en revistas inglesas.

[164] *El moro expósito* o *Córdoba y Burgos en el siglo* X, leyenda en doce romances por don Angel de Saavedra. En un apéndice se añaden la *Florinda* y algunas otras composiciones inéditas del mismo autor. París. Librería Hispano-Americana. 1834, 2 vols.

Don Angel de Saavedra, coronel y diputado a Cortes, emigró a fines de 1823 a la caída del régimen constitucional. Por haber votado a favor de la deposición del rey en Sevilla, fue condenado a muerte. Refugiado en Londres, de allí pasó via Gibraltar a Malta, donde permaneció hasta 1830. En este año pasó a Francia; residió en París y luego en Tours. Comprendido en la amnistía de octubre de 1833, regresó a España a principios de 1834.

[165] Sus primeras poesías las publicó en 1814. La edición en dos volúmenes es de 1820.

[166] Saavedra heredó el título de duque de Rivas cuando, poco después de regresar a España, falleció su hermano.

[167] *Mathilde ou Mémoires tirés de l'histoire des Croisades,* 1805. Saavedra escribió su tragedia en Sevilla en 1818.

[168] *Lanuza* se representó por primera vez el 9 de noviembre de 1822 en el Teatro de la Cruz, según Giuseppe Pecchio, que asistió al estreno. Los realistas habían ini-

ciado la guerra civil, y la intervención de las Potencias era inminente después del Congreso de Verona.

[169] *El desterrado* se publicó en los *Ocios de españoles emigrados* (agosto 1824); primera versión mitigada políticamente más tarde por el autor.

[170] Uno de ellos, que se sepa, y el más importante, fue John Hookham Frère, a quien está dirigida en inglés la dedicatoria de *El moro expósito*. Frère, que había sido representante de su país en España, vivía en Malta cuando llegó allí Saavedra. Buen conocedor de las literaturas antiguas y modernas, gozó de gran prestigio como crítico entre los poetas ingleses de su tiempo, desde Coleridge a Byron. Poetizaba también y no sólo en inglés. Suya es una elegía latina al duque de Alburquerque, que tradujo al español Blanco White.

[171] Como se ve, Alcalá Galiano ignoraba que Juan de la Cueva y Lope de Vega habían dramatizado la leyenda. La antigua obra dramática a que se refiere es *El traidor contra su sangre* de Juan de Matos Fragoso, a quien siguió Rivas, según Menéndez Pidal.

[172] Naturalmente Alcalá Galiano alude aquí al Prólogo, obra suya, que figuraba al frente de la primera edición de *El moro expósito*. Prólogo famoso en la historia de la crítica romántica española, cuyo alcance aclaran estas mismas páginas.

[173] *El bastardo de Castilla*, 1832, de Jorge Montgomery, *El Conde de Candespina*, 1832, de Patricio de la Escosura y *La conquista de Valencia por el Cid*, 1831, de Estanislao de Cosca Vayo, a quien se deben también las *Aventuras de un elegante* o *Las costumbres de ogaño*, 1832, novelita que en verdad no tiene nada de costumbrista, aunque al autor diga que no es una sátira de las costumbres del día sino «su exacta pintura» George Washington Montgomery (1803-1841), escritor bilingüe en español y en inglés, no debiera quizá figurar aquí por no ser español, aunque se comprende que Alcalá Galiano lo ignorase. Tampoco sabía, al parecer, que cronológicamente la primera novela histórica de la época es *Ramiro, conde de Lucena*, de Rafael Húmara, publicada en Madrid en 1823.

[174] Estos poetas ingleses de los últimos años deben ser, si nos atenemos a los que menciona en detalle en el prólogo al *Moro expósito*, Southey, Wordsworth, Coleridge, Campbell, Byron y Moore. Alcalá Galiano no habló nunca de Shelley; y Keats, seguramente, le fue tan desconocido como a la mayoría del público inglés de entonces.

Cuadro cronológico

Año	Vida y obra	Literatura/arte/cultura	Historia
1800	Antonio Alcalá Galiano (Cádiz, 1789 - Madrid, 1865).	—Mor de Fuentes: *El calavera*, y *La mujer varonil*. Tapia: Trad. *Agamenon*, de Lemercier. Cea Bermúdez: *Diccionario de profesores de Bellas Artes*. Hervás y Panduro: *Catálogo de las lenguas* (1800-1805), Fray M. de Santander: *Doctrinas y sermones* (1800-1803). Mme. Stäel: *De la littérature*. Wordsworth: Prefacio a *Lyrical Ballads*. Novalis: *Hymnen an die Nacht*. Schiller: *Wallenstein*.	—Bonaparte, primer cónsul. Campaña de Italia. Marengo. Tratado de San Ildefonso. Cesión a Francia de la Luisiana. La Toscana para un infante español.
1801	acompaña a su padre, capitán de navío, en expedición a Nápoles, para conducir a España a la princesa que había de casar con Fernando, príncipe de Asturias.	—Fallecimiento de Samaniego. Trad. *Estaciones del año*, de Thompson. Quintana: *El duque de Viseo*. García Suelto: *El chismoso*. Gálvez: *Un loco hace ciento*. Munárriz, trad.: *Lecciones*, de Blair (1798-1801). Fray M. Gil: *Sermones*. Foronda: *Cartas sobre la policía*. Sempere: *Biblioteca económico-política*. *Memorial Literario* (1801-1804). Chateaubriand, *Atala* (y trad. esp. de Mier, París). Bouterwek, *Geschichte der Poesie und Beredsamkeit* (1801-1819).	—Jovellanos, confinado en Mallorca. Guerra contra Portugal. Godoy, generalísimo. Paz entre Francia e Inglaterra, que se anexiona la isla de Trinidad.
1802		—F. de Campomanes. Quintana: *Poesías*. Marchena: *Fragmentum Petronii* (Basilea). Trad. *Werther*, de Goethe. Navarrete: *Arte de navegar*. Latassa: *Biblioteca de escritores aragoneses*. Azara: *Historia natural del Paraguay y Río de la Plata*. Academia de la Historia: *Diccionario geográfico-histórico de España*. Chateaubriand: *Génie du Christianisme*. *The Edinburgh Review* (1802-1929). M. García: *El seduc-*	—Jovellanos, preso en el castillo de Bellver. Paz de Amiens entre Francia e Inglaterra.

Año	Vida	Literatura y cultura	Historia
1803		—F. Olavide (Alfieri). N. de Mesonero Romanos. Moratín: *El barón*. Burgos: *El optimista*. García Suelto, trad. *Cid.*, de Corneille. Villanueva: *Viaje literario a las iglesias de España* (1803-1852). *Variedades de Ciencias, Literatura y Artes* (1803-1805). *El Regañón* (1803-1804). *Correo de Sevilla* (1803-1804). Herder: *Der Cid*. A W. Schlegel, trad. *Spanisches Theatre* (1803-1809).	—Bonaparte vende la Luisiana a los Estados Unidos. Ruptura entre Francia e Inglaterra. Subsidio español a Francia y represalias inglesas.
1804		—F. (Kant). M. R. Gálvez: *Obras poéticas*. Reinoso: *La inocencia perdida*. Moratín: *La mogigata*. Vargas Ponce: *Abdalaziz y Egilona*. Saviñón, trad.: *Muerte de Abel*, de Legouvé. Trad. *Economía política*, de J. B. Say. *Almacén de Frutos Literarios*. Sénancour, *Obermann*. Chateaubriand, *René*. Schiller: *Wilhelm Tell*. Tieck, trad. alemana del *Quijote* (1799-1804). Beethoven: *Sinfonía heroica*.	—Napoleón consagrado emperador por Pío VII
1805	funda en Cádiz con José Joaquín de Mora y otros jóvenes una Academia de Buenas Letras. Muere su padre en la batalla de Trafalgar.	—*Odas* al combate de Trafalgar (Quintana, Arriaza, Sánchez, Roca, etc.). Sánchez Barbero, *Saúl*. M. R. Gálvez: *La familia a la moda*. Sánchez Barbero: *Retórica y Poética*. Arrieta: Trad. *Principios de Literatura*, de Batteux (1797-1805). Estala: *Cartas a un anglómano*. Sempere: *Historia de los vínculos y mayorazgos*. Trad. *Riqueza de las naciones*, de Adam Smith. *La Minerva* (1805-1808). Mme. Cottin: *Mathilde*. García: *El poeta calculista*.	—Guerra entre Inglaterra y España. Combate de Trafalgar. Napoleón derrota al ejército austro-ruso en Austerlitz.

	Vida y obra	Literatura/arte/cultura	Historia
1806	asiste a la tertulia de Quintana en Madrid.	—F. Clavijo y Fajardo. M. R. Gálvez. N. Hartzenbusch. Maury: *La agresión británica.* Marchena: *Catulli Fragmentum* (París). Moratín: *El sí de las niñas.* B. de Mendoza: Trad. *Zaira,* de Voltaire. Llorente: *Noticias históricas de las provincias vascongadas.* Erro: *Alfabeto de la lengua primitiva de España.* Instituto Pestalozziano de Madrid (1806-1808).	—F. de William Pitt. José Bonaparte, rey de Nápoles; Luis Bonaparte, de Holanda. Defensa de Buenos Aires contra los ingleses. Napoleón derrota al ejército prusiano en Jena. Confederación del Rhin. Bloqueo continental contra Inglaterra.
1807	entra en la Real Maestranza de Sevilla. Premiado por la Academia de Buenas Letras en Cádiz.	—Arriaza: *Poesías.* Gallego: *A la defensa de Buenos Aires.* D. de Frías: *Oda a Pestalozzi.* Arriaza: Trad. *Poética,* de Boileau. Quintana: *Poesías selectas castellanas.* Enciso y Castrillón: *Teatro* (1804-1808). Solís: Trad. *Orestes,* de Alfieri. Mor de Fuentes: *La Serafina.* E. Tapia: *Viaje de un curioso por Madrid.* Quintana: *Vidas de españoles célebres,* J. M.ª Blanco: *Sobre la enseñanza de Pestalozzi.* Villanueva: *El Kempis de los literatos.* Capmany: *Cuestiones críticas.*	—Napoleón derrota a los rusos en Friedland. Paz de Tilsit con Prusia y Rusia. Los ingleses evacuan Montevideo. Godoy, gran almirante de España e Indias. Tratado de Fontainebleau sobre ocupación de Portugal por España y Francia. Proceso de El Escorial contra el príncipe de Asturias y sus consejeros. Junot invade Portugal. El príncipe regente embarca en Lisboa para el Brasil.
1808	contrae matrimonio clandestinamente a los diecinueve años. Poco antes de ocupar Napoleón Madrid, regresa a Cádiz.	—F. Floridablanca. Eximeno (Roma). N. Espronceda. Cabanyes. Ros de Olano. Poesía patriótica: Quintana: *España libre;* Gallego: *Al Dos de Mayo;* Meléndez: *Alarmas españolas;* Tapia: *Dupont rendido;* Blanco: *A la Junta Central.* Arjona: *Las ruinas de Roma.* Vargas: *Proclama de un solterón.* Marchena: *Polixena.* S. Barbero: *Coriolano.* Capmany: *Centinela contra franceses.* M. Marina: *Antigua legislación de León y Castilla.* Antillón: *Geografía de España y Portugal. Memorial Lite-*	—Dupont en Valladolid. Moncey entra en España por Irún, Duhesne por Cataluña. Motín de Aranjuez y prisión de Godoy. Abdicación de Carlos IV. Murat en Madrid. Fernando VII al encuentro de Napoleón. Levantamiento del 2 de mayo en Madrid. Abdicaciones de Bayona. José Bonaparte en Madrid. Bailén. Convenio de Cintra. Junta Central. Primer sitio de Zaragoza. Napoleón ocupa Madrid. Supresión del Consejo de Castilla, Inquisición y derechos feudales.

Año	Vida y obra	Cultura	Historia
		Goethe: Primer *Fausto*. Fichte: *Reden an die Deutsche Nation*. Goya: *Fusilamientos de la Moncloa*.	
1809	amistad con León y Pizarro. Lecturas políticas y literarias.	—F. Cienfuegos (Orthez) (Haydn. Necrología en *Semanario Patriótico*). N. Larra. Donoso Cortés. *Manifiesto de la Nación española a la Europa* (Quintana). Narganes: *Sobre la instrucción pública en España*. *Semanario Patriótico* (Sevilla). *El Imparcial* (Madrid). Grillparzer, *Blanka von Kastilien*. *The Quarterly Review* (1809-1966).	—Derrotas de Infantado en Uclés y de Cuesta en Medellín. José Bonaparte decreta la extinción de las órdenes monásticas. Los franceses derrotados en Talavera. Derrota de los españoles en Ocaña. Capitulación de Gerona.
1810	redacta un escrito refutando el folleto de lord Holland sobre las Cortes.	—F. Cabarrús. N. Balmes. Arriaza: *Poesías patrióticas* (Londres). Arjona: *La Bética coronando a José Napoleón I*. Flórez Estrada: *Constitución para la nación española* (Birmingham). *El Español*, Londres (1810-1814). *Semanario Patriótico*, Cádiz (1810-1813). *El Conciso*, Cádiz (1810-1813). Fundación de la Universidad de Berlín. Goya: *Desastres de la guerra* (1810-1813).	—Entrada de José Bonaparte en Sevilla. Consejo de Regencia en Cádiz. Caracas y Buenos Aires forman Juntas independientes. Cortes de Cádiz. Libertad de imprenta.
1811	nace su hijo Dionisio. Reanuda amistad con Martínez de la Rosa. Artículo sobre el proyecto de Constitución en *El Redactor General*, de Cádiz.	—F. Jovellanos. M. de la Rosa, *Zaragoza* (Londres). Meléndez: *Oda a José Napoleón I*. Jovellanos: *Defensa de la Junta Central*. F. Estrada: *Disensiones de la América con la España* (Londres). Puigblanch: *La Inquisición sin máscara*. Villanueva: *El tomista en las Cortes*. Goethe, *Dichtung und Warheit* (1811-1830). A. W. Schlegel: *Dramatische Literatur* (trad. francesa, 1814; trad. inglesa, 1815).	—Acciones de los guerrilleros. Abolición de privilegios y pruebas de nobleza por las Cortes.

	Vida y obra	Literatura/arte/cultura	Historia
1812	entra en la carrera diplomática. Artículo en *El Tribuno del Pueblo Español* contra poderes otorgados a Wellington por la Regencia. Redacta con Jonama *El Imparcial*, de Cádiz.	—Roca: *Rimas de arte mayor* (México). M. de la Rosa: *Lo que puede un empleo* y *La viuda de Padilla*, repr. en Cádiz. Saviñón: *Roma libre. Comedias* de Molière, trad. por Moratín, Marchena y Lista, y repr. en Madrid y Sevilla. Folletos de propaganda política de los afrancesados (Almenara, Meléndez, Hermosilla). Capmany: *Filosofía de la elocuencia* (Londres). Gallardo: *Diccionario crítico-burlesco*. Llorente: *Anales de la Inquisición de España*. Vélez: *Preservativo contra la irreligión*. Vadillo: *Memoria sobre la moneda. La Abeja Española. Aurora Patriótica Mallorquina*. Mme. Stäel: *L'Allemagne* (ed. Londres). Byron: *Childe Harold's Pilgrimage* (1812-1818). Grim, *Kinder-und Hausmaerchen, I* (1812-1816).	—Suchet ocupa Valencia. Nueva Regencia. Wellington victorioso en Ciudad Rodrigo. Constitución de Cádiz. Alianza de la Regencia con Rusia. Batalla de los Arapiles. Liberación de Madrid. Campaña de Napoleón en Rusia.
1813	epístola a Martínez de la Rosa. Se le nombra secretario de la Legación de España en Suecia. Se inicia en la masonería. Sale de Cádiz a mediados de octubre. Cuarentena en Inglaterra. Desembarca a primeros de diciembre.	—F. Capmany. N. García Gutiérrez. Valvidares: *La iberiada*. Vargas: *El peso duro*. Beña: *Lira de la libertad* (Londres). P. de Andrade: *Os rogos d'un gallego*. M. Marina: *Teoría de las Cortes*. Sismondi: *Littératures du Midi de l'Europe*. J. Austen: *Pride and Prejudice*. García: *Il Califfo di Bagdad* (Nápoles).	—La Inquisición abolida por las Cortes. Nombramiento de nueva Regencia. Batalla de Vitoria. Tratado de Valencey entre Napoleón y Fernando VII.
1814	a su paso por Londres, Mme. de Stäel le entrega varios ejemplares de *L'Allemagne* para sus amigos de Suecia. Llega enfermo a Estocolmo a fines de mayo. Regresa a	—F. Antillón. N. Sanz del Río. Saavedra: *Poesías*. Jérica: *Ensayos poéticos*. B. de Faber: *Donde las dan las toman*. Arrieta: *Espíritu de Cervantes*. Llorente: *Historia de la revolución de España* (París). Blanco White: *Bosquejo del*	—Retorno de Fernando VII y abolición de la monarquía constitucional. Proscripción de afrancesados y persecución de liberales. Luis XVIII, rey de Francia. Carta constitucional. Congreso de Viena (1814-1815).

Año	Obras	Literatura y arte	Historia
		Waverley novels (1814-1832) Southey; *Roderick*. Hoffmann, *Fantasiestuecke*.	
1815		—N. Gil y Carrasco. E. de Ochoa. Indice de obras prohibidas por la Inquisición restaurada. Se prohíbe toda publicación periódica, excepto la *Gaceta* y el *Diario* de Madrid. Martínez: *Famosos traidores refugiados en Francia*. Sempere: *Histoire des Cortes d'Espagne* (Burdeos). Grim: *Silva de romances viejos*. Goya: *Disparates* (1815-1819). Primeros *Lieder* de Schubert.	—Napoleón escapa de Elba. Los Cien Días. Waterloo. Napoleón en Santa Elena. Declaración de la Santa Alianza. Restablecimiento en España de la Compañía de Jesús. Creación del Ministerio de Policía. Compañía de Reales Diligencias. Sublevación de Porlier.
1816	*Epitalamio* contra Fernando VII con motivo de su segundo matrimonio.	—Cienfuegos: *Obras poéticas*. Noroña: *Ommiada*. B. de Mendoza: Trad. *Henriada*, de Voltaire (Alais). Trad. *Mártires*, de Chateaubriand. Reinoso: *Delitos de infidelidad a la patria* (Auch). Biblioteca Universal de novelas (1816-1819). Béranger: *Chansons*. B. Constant: *Adolphe* (trad. esp., 1827). Berchet: *Lettera semiseria di Crisostomo*. Rossini: *Il barbiere di Siviglia*.	—Depresión económica y agitación social en Inglaterra.
1817		—F. Meléndez (Montpellier). P. Andrés (Mme. Stäel. Jane Austen). N. Zorrilla. Campoamor. B. de Mendoza: Trad. *Poética*, de Boileau (Alais). Llorente: *Histoire de l'Inquisition en Espagne* (París). Lanz-Bethancourt: *Composition des machines* (París). *Crónica Científica y Literaria* (1817-1820). Moore: *Lalla Rookh*. Coleridge: *Biographia literaria*. B. Constant: *Politique constitutionnelle*. Lamennais: *Sur l'indifference en matière de religion*. García: *Le prince d'ocassion* (París).	—Reformas en Hacienda de don Martín de Garay.

	Vida y obra	Literatura/arte/cultura	Historia
1818	toma parte en la polémica calderoniana al lado de Mora, y juntos publican el folleto *Los mismos contra los propios*. En noviembre es nombrado secretario de la Legación española en el Brasil.	—N. Pablo Piferrer, Santos Alvarez. Gorostiza: *Indulgencia para todos*. Mora: Trad. *Nino II*, de Brifault. Marchena: Trad. *Cartas persianas*, de Montesquieu (Nimes). *Historia de la guerra contra Napoleón I*. F. Estrada: *Representación a Fernando VII* (Londres). P. Vélez: *Defensa del Altar y del Trono*. Colección de novelas de Cabrerizo. *El Español Constitucional*, Londres (1818-1820). *Il Conciliatore* (1818-1819), Museo del Prado.	—N. de Karl Marx.
1819	en enero emprende viaje a Cádiz. Interviene activamente en la preparación de un alzamiento constitucional.	—F. Sánchez Barbero (Melilla). (N. Walt Whitman.) Los *Salmos*, trad. por G. Carvajal. Gorostiza: *Costumbres de antaño*. *Novelas* de Voltaire, trad. por Marchena (Burdeos). Navarrete: *Vida de Cervantes*. Silvela-Mendíbil: *Biblioteca de la literatura española* (Burdeos). *Miscelánea de Comercio, Artes y Literatura* (1819-1921). Byron, *Don Juan*. Schopenhauer: *Die Welt als Wille und Vorstellung*. *Revue Encyclopédique* (1819-1835).	—F. de María Luisa y Carlos IV en Italia. N. de la reina Victoria de Inglaterra. Matanza de Manchester. Cesión de la Florida a los Estados Unidos. Escuelas Lancasterianas en España. El general Elío destruye la conspiración de Vidal en Valencia.
1820	redacta con San Miguel la *Gaceta Patriótica del Ejército Nacional*. Oficial de la Secretaría de Estado. Se distingue como orador en la Fontana de Oro. Dimite su cargo en la Secretaría de Estado.	—F. Arjona, Conde, Maíquez. *Poesías*, de Meléndez, ed. por Quintana. Saavedra: *Poesías*. P. de Andrade: *Poesías originales*. P. de Camino: *La opinión* (Burdeos). *Obras*, de Horacio, trad. por Burgos. Amorós: *Cantiques gimnastiques* (París). Gorostiza: *Don Dieguito*. *La Inquisición*, drama. Miñano: *Lamentos de un pobrecito holgazán*. B. de Faber: *Vindicaciones de Calderón*. Mar-	—Levantamiento del Ejército destinado a Ultramar en favor de la Constitución. Asesinato del duque de Berry en Francia. Fernando VII jura la Constitución. El levantamiento liberal español repercute en Portugal, Nápoles y otras partes de Italia. Abolición definitiva de la Inquisición.

	cia (Burdeos). Conde: *Historia de los árabes en España.* Trad. en España de obras prohibidas anteriormente: Locke, Montesquieu, Mably, Filangieri, etcétera (1820-1823). Fundación del primer Ateneo de Madrid. *El Censor* (1820-1822). *Minerva Nacional. Correo de Madrid* (1820-1821). *El Universal* (1820-1823). Lamartine: *Méditations poétiques.* Keats: *Poems.* Shelley: *Prometheus unbound.* Malthus: *Political Economy.* Hegel: *Philosophie des Rechts.*	
1821 nombrado Intendente de Córdoba. Publica sus *Apuntes para la historia del alzamiento del Ejército de Ultramar.* Elegido diputado por Cádiz para las Cortes de 1822.	—F. Marchena (Keats) (N. Flaubert. Baudelaire). Tapia: *Poesías.* Virués: Trad. *Enriada,* de Voltaire. M. de la Rosa: *La niña en casa y la madre en la máscara.* M. García Suelto: Trad. *Matilde,* de Mme. Cottin. Marchena: Trad. *Nueva Eloísa,* de Rousseau (Toulouse). Miñano: *Cartas del madrileño. Semblanzas de los diputados a Cortes.* B. de Faber: *Rimas antiguas castellanas* (Hamburgo). Jonama: *De la prueba por jurados.* M. L. Cepero: *Lecciones políticas para los jóvenes. El Zurriago* (1821-23). *El Eco de Padilla. El Imparcial* (1821-22). *El Espectador* (1821-23). Byron: *Sardanapalus. Caín.* Goethe: *Wilhelm Meister Wanderjahre.* Díez: *Altspanische Romanzen.* Weber, *Freischütz.*	—F. Napoleón. Los austríacos invaden Nápoles y acaban con el régimen constitucional. El movimiento liberal del Piamonte reprimido también por Austria. Empieza la guerra de liberación de Grecia contra los turcos. Sociedad de los Comuneros. Fiebre amarilla en Barcelona.

	Vida y obra	Literatura/arte/cultura	Historia
1822	discursos en las Cortes (sobre suspensión de las sociedades patrióticas; contra el mensaje del Congreso al rey). Discursos en la Sociedad Landaburiana. Publica un folleto en defensa de la sociedad de masones.	—(F. Shelley). Lista: *Poesías*. Virués: *La compasión*. Gorostiza: *Teatro original* (París). Saavedra: *Lanuza*. Cabrera de Nevares: *De la insurrección de las Américas*. Vadillo: *Medios de fomentar la industria*. Sempere: *Historia de las rentas eclesiásticas*. Mature y Gaviria: *Historia de la judería de Sevilla*. Blanco White: *Letters from Spain* (Londres). Llorente: *Sur le Gil Blas*. *Portraits politiques des Papes* (París). Toreno: *Des Révolutions en Espagne* (París). Apertura de la Universidad Central. *Dernières lettres de deux amans de Barcelone*. V. Hugo: *Odes et poèmes*. Vigny: *Poèmes*. Stendhal: *De l'amour*. Fourier: *Théorie de l'unité universelle* Heine: *Gedichte*. Delacroix: *La barca de Dante*.	—Suicidio de Castlereagh. Canning, ministro de Asuntos Exteriores. En el Congreso de Verona las Potencias de la Santa Alianza acuerdan intervenir en España. Ministerio de Martínez de la Rosa. Código Penal. Siete de julio. Los Guardias Reales rechazados por la Milicia de Madrid. El cordón sanitario francés se transforma en ejército de observación. Regencia de Urgel. Independencia del Brasil. Iturbide, emperador de México. Primera fotografía lograda por Niepce.
1823	el Gobierno da cuenta a las Cortes de las notas enviadas después de Verona por las Potencias. Proposición de Alcalá Galiano. Discurso del 2 de enero. Las Cortes deponen temporalmente al rey en Sevilla, a propuesta de Alcalá Galiano. Desembarca en Londres el 28 de diciembre.	—F. Llorente. R. Húmara: *Ramiro, conde de Lucena*. Torres Amat: Trad. *Sagrada Biblia* (1823-26). Hermosilla: *El jacobinismo*. *Variedades* o *El mensajero de Londres* (1823-25). *El Europeo* (1823-24). Lockhart: *Ancient Spanish Ballads*. Wiffen: *The works of Garcilaso de la Vega*. Southey: *History of the Peninsular War* (1823-32). F. Cooper: *The Pilot*. *La Muse Française* (1823-24). Stendhal: *Racine et Shakespeare*. F. Sors: *Cendrillon*, ballet (París).	—El ejército del duque de Angulema invade España. Doctrina de Monroe. El rey, el Gobierno y las Cortes se trasladan a Sevilla. Ocupación de Madrid por los franceses. Establecimiento de una Regencia. Traslado a Cádiz del Gobierno y las Cortes con el rey. Capitulación de Cádiz. Restauración de la monarquía absoluta. Segunda emigración liberal. Ejecución de Riego.
1824	Colabora en la recién creada *Westminster Review*.	—F. J. Villanueva (Londres) (Byron), N. J. Valera. B. de los Herreros: *A la vejez viruelas*. *No me olvides*, Londres (1824-29). *Catecismos*, de Ackermann,	—Represión contra los liberales. Purificaciones. Ayacucho. Final de la dominación española en América del Sur. Muerte de Luis XVIII. Carlos X,

	Emigrados, Londres (1824-27). *El Español Constitucional,* Londres (1824-25). *Museo Universal de Ciencias y Artes,* Londres (1824-26). Miñano: *Histoire de la revolution d'Espagne* (París). Colaboraciones de Blanco, Mora, Gorostiza y Alcalá Galiano en *The European Review, New Monthly Magazine, Westminster Review.* Barante: *Histoire des ducs de Bourgogne.* Saint-Simon: *Cathéchisme des Industriels. The Westminster Review* (1824-1914). *Le Globe* (1824-32). Beethoven: *Novena sinfonía.*	
1825 vive en casa de su amigo Istúriz varios meses. Lecciones privadas de español. En agosto llegan a Londres su hijo Dionisio y una hermana de su madre.	—Moratín: *Obras dramáticas y líricas* (París). Gorostiza: *Teatro escogido* (Bruselas). Mora: Trad. *Ivanhoe,* de W. Scott (Londres). Llanos: *Don Esteban* (Londres). Villanueva: *Vida Literaria* (Londres). Navarrete: *Viajes por mar de los españoles* (1825-32). Polémica Flórez Estrada-Calatrava (Londres). Clausura del Colegio de San Mateo. Mérimée: *Théatre de Clara Gazul.* Aguado: *Método de guitarra.* Sors: *Música para la exequias de Alejandro I* (San Petersburgo). García y familia inauguran las representaciones de ópera en Nueva York. Gomis: *Método de solfeo y canto,* introd. de Rossini (París). Ledesma en la Royal Academy of Music de Londres.	—F. del zar Alejandro I. Ley de minas. Ejecución de «El Empecinado».

	Vida y obra	Literatura/arte/cultura	Historia
1826	«Spanish novels» (sobre las novelas de Valentín Llanos) en *The Westminster Review.*	—F. Bethancourt (San Petersburgo). Arriaga (París). Mora: *Meditaciones poéticas* (Londres). J. M. Maury: *Espagne Poetique* (París). Gorostiza: *Apéndice al Teatro escogido* (París). Llanos: *Sandoval* (Londres). Hermosilla: *Arte de hablar*. Garrido: *La floresta española* (Londres). Comedias del teatro antiguo español (1826-34). Miñano: *Diccionario geográfico* (1826-28). C. Argüelles: *Diccionario de Hacienda* (Londres). E. San Miguel: *Arte de la guerra* (Londres). Sempere: *Grandeur et decadence de la Monarchie espagnole* (París). *Biblioteca de la Religión. Correo Literario y Político*, de Londres. *La Euterpe*, de Veracruz. V. Hugo: *Odes et ballades*. Chateaubriand: *Dernier Abencerrage*. Vigny: *Cinq-mars*. V. Cousin: *Histoire de la philosophie*. Heine: *Reisebilder* (1826-31). Goya: Retratos de Silvela, Moratín, Pío de Molina (Burdeos, 1826-28). Mendelssohn: *Sueño de una noche de verano.*	—El maestro Ripoll muere condenado por la Junta de Fe de Valencia. Alumbrado de gas en la Escuela de Comercio de Barcelona. Desarrollo de la industria textil. Congreso de Panamá.
1827		—(F. Blake. Ugo Foscolo. Beethoven.) M. de la Rosa: *Obras literarias*, París (1827-30). G. Carvajal: Trad. *Libros poéticos de la Biblia* (1827-32). Van Halen: *Memoires* (París). M. J. Sicilia: *Ortología y prosodia* (París). *Crónica Política y Literaria* de Buenos Aires. *Repertorio Americano* (Londres). Fundación de la University of London. Le Cénacle. Representaciones inglesas de Shakespeare en París. Manzoni: *I promessi sposi*. V. Hugo: *Cromwell*. Hei-	—Canning, primer ministro (abril). Fallecimiento de Canning (agosto). La flota turca derrotada en Navarino. Exposición de la industria española. Alzamiento de los «agraviados» en Cataluña.

		ne: *Das Buch der Lieder*. Leopardi: *Operette morali*. Gomis, Cantata *El invierno* (Londres). Sors: *Le Sicilien*, ballet (París). Ingres: *Apoteosis de Homero*.	
1828	nombrado profesor de lengua y literatura española en la University of London. «Spanish Novels» (sobre las de Trueba y Cosío) en la *Westminster Review*. *An introductory lecture delivered in the University of London*.	—F. Moratín (París). Goya (Burdeos). N. Cánovas del Castillo. Ciscar: *Poema físico-astronómico* (Gibraltar). Mora: *El marido ambicioso* (S. de Chile). Trueba y Cosío: *Gómez Arias* (Londres). Durán: *La crítica y el teatro español. Romances*. Puigblanch: *Opúsculos gramático-satíricos*, Londres (1828-34). Flórez Estrada: *Economía política* (Londres). *Correo Literario y Mercantil* (1828-33). *El Duende satírico del Día* (1828-29). *Gaceta de Bayona* (1828-30). *El Emigrado Observador*, Londres (1828-29). *El Mercurio Chileno*. Villemain: *Littérature française*. Guizot: *Histoire de la civilization*. *The Athenaeum* (1828-1921).	—Don Miguel usurpa el trono de Portugal. Wellington primer ministro. Guerra ruso-turca.
1829		—F. G. Ciscar (Gibraltar). J. N. Gallego: *Versos* (Filadelfia). T. y Cosío: *The Castilian* (Londres). Cosca Vayo: *Los terremotos de Orihuela*. P. de Camino: *Poética* (Burdeos). Liaño: *Kastilische Literatur* (Leipzig). C. Argüelles: *Sobre la historia de la guerra de España* (Londres). Vadillo: *Sucesos de la América del Sur* (París). V. Hugo: *Les Orientales*. Musset: *Contes d'Espagne et d'Italie*. Mérimée, *Chronique du regne de Charles IX*. Balzac: *Les Chouans*. Washington Irving, *The Conquest öf Granada*. *Revue des deux Mondes* (1829-1944). *The London Review* (Blanco White).	—Terremotos de Orihuela. Banco de San Fernando. Código de Comercio. Casamiento de Fernando VII con María Cristina. Emancipación católica en el Reino Unido.

	Vida y obra	Literatura/arte/cultura	Historia
1830	«Jovellanos» en *The Foreign Quarterly Review*. En agosto sale para Francia con Mendizábal. Se encuentra en París con Angel de Saavedra, Vadillo, Toreno y otros amigos. Entrevistas con Lafayette y Benjamín Constant.	—F. Sempere (B. Constant). *Corona poética,* en honor de la duquesa de Frías. M. de la Rosa: *Aben Humeya* (París). López Soler: *Los bandos de Castilla.* T. y Cosío: *Romance of History. Spain* (Londres). Quintana: *Vidas de españoles célebres, II.* Gallardo: *Cuatro palmetazos a los Gaceteros de Bayona.* Salvá: *Gramática de la lengua castellana* (París). Escuela de tauromaquia en Sevilla. Conservatorio de música. El Parnasillo. V. Hugo: *Hernani.* Gautier: *Poesies.* Stendhal: *Le rouge et le noir.* Comte: *Philosophie positive* (1830-42). *Fraser's magazine* (1830-1882). Chopin en París.	—Ocupación de Argelia por los franceses. F. de Jorge IV. Guillermo IV. Caída del ministerio Wellington. Ferrocarril de Manchester a Liverpool. Revolución de julio en París. Luis Felipe (1830-1848). Movimientos revolucionarios en Bélgica y Polonia. Los intentos de los emigrados españoles en los Pirineos, rechazados. Cierre de las universidades españolas. Don Pedro abdica la corona del Brasil y embarca para Europa.
1831	continúa residiendo en París.	—(F. Hegel). P. de Jérica: *Poesías* (Burdeos). Estébanez Calderón: *Poesías.* Grimaldi: *La pata de cabra.* Hurtado-Gomis: *Le diable à Seville* (París). Bretón: *Marcela.* Larra: *No más mostrador.* T. y Cosío: *The Exquisites* (Londres). Hermosilla: Trad. *Ilíada.* C. Vayo: *La conquista de Valencia.* T. y Cosío: *The Incognito. - Paris and London* (Londres). Mesonero: *Manual de Madrid.* Nueva colección de novelas (1831-32). Biblioteca Selecta, 1831-33 (Bergnes de las Casas). Sotos Ochando: *Grammaire espagnole* (París). Villanueva: *Ibernia Phoenicaea* (Dublin). R. de la Sagra: *Historia de la isla de Cuba.* *Estafeta de San Sebastián.* *Cartas Españolas* (1831-32). *El Dardo* (París). Dumas: *Anthony.* V. Hugo: *Nôtre Dame*	—Nacimiento de la princesa Isabel. Mariana Pineda, ajusticiada. Bolsa de Madrid. Leopoldo, rey de los belgas. Fusilamiento de Torrijos en Málaga.

	Poems. Delacroix: *La libertad guiando al pueblo.*	
1832 se establece en Tours en abril y allí reside hasta marzo Va a vivir a la misma ciudad de 1834. Angel de Saavedra.	—F. Mendíbil (Londres). Pardo de Andrade (París). M. García (París). (Goethe. Walter Scott.) N. Castelar. Echegaray. Somoza: *Poesías*. Tapia: *Poesías*. Virués: *El cerco de Zamora*. Escosura: *El conde de Candespina*. Larra: *El pobrecito hablador* (1832-33). Mesonero: *Escenas matritenses* (1832-42). B. de Faber: *Teatro anterior a Lope* (Hamburgo). *La Revista Española* (1832-36). Aribau: *Oda a la patria*. Tennyson: *Poems*. W. Irving: *The Alhambra*. George Sand: *Indiana*. Goethe, segundo *Fausto*. Berlioz: *Sinfonía fantástica*.	—Grey, primer ministro. El Reform Bill aprobado. Epidemia de cólera en Inglaterra. Enfermedad de Fernando VII. Isabel II declarada heredera de la corona. Regencia de María Cristina. Amnistía política.
1833 traduce al francés el drama *Don Alvaro* que estaba escribiendo su amigo Saavedra, con la intención de representarlo en París.	—F. Cabanyes. Martínez Marina. N. Alarcón. Pereda. Cabanyes: *Preludios de mi lira*. Martínez de la Rosa: *Poesías*. Villanueva: *Poesías escogidas* (Dublin). Pezuela: Trad. *Orlando furioso*. Gorostiza: *Contigo pan y cebolla* (Londres). L. Soler: *El primogénito de Alburquerque*. Cortada: *Tancredo en Asia*. Colección de novelas históricas originales españolas. Clemencín, ed. y com. *Quijote* (1833-39). Bergnes: *Gramática griega*. *El Vapor*, Barcelona (1833-35). Michelet: *Histoire de France* (1833-43). Blanco White: *Second Travels of an Irish gentleman in search of Religion*. *L' Europe Litteraire* (1833-34). Oxford Mouvement. F. Madrazo: *Retrato de Ingres* (París). Gomis: *Le Revenant* (París).	—Fallecimiento de Fernando VII. María Cristina, reina gobernadora. Ministerio Cea Bermúdez. Principio de la guerra carlista (1833-39). Zollverein en Alemania.

	Vida y obra	Literatura/arte/cultura	Historia
1834	«Literature of the nineteenth Century: Spain», en *The Athenaeum*. Comprendido en la última amnistía de los diputados condenados a muerte por haber votado la deposición del rey en 1823. Para regresar a España le auxilian Mendizábal y otros amigos residentes en Inglaterra. Llega a la Junquera el 14 de junio. Colabora en *El Observador* y *El mensajero de las Cortes*. Procurador en Cortes por Cádiz.	—F. G. Carvajal. Clemencín (Coleridge). A. Saavedra: *El moro expósito* (París). Mora, *Aguinaldo* (Lima). Salas y Quiroga, *Poesías*. M. de la Rosa, repr. de *La conjuración de Venecia*, Larra: *Macías*. Trueba y Cosío: *Salvador, the Guerrilla* (Londres). Espronceda: *Sancho Saldaña*. Larra: *El doncel de D. Enrique el Doliente*. *El Español*. *El Eco del Comercio*. *El Siglo*. *La Abeja*. Balzac: *Le père Goriot*. Lamennais: *Paroles d'un croyant*.	—Ministerio Martínez de la Rosa. Cuádruple Alianza (España, Inglaterra, Portugal y Francia) contra don Miguel y don Carlos. Epidemia de cólera. Matanza de religiosos en Madrid. Estatuto Real. Cortes. Ultima amnistía en favor de los emigrados.

Indice

Alonso de Contreras:
Vida del capitán
Alonso de Contreras

Ramón Tamames:
Introducción a la economía
española

Santa Teresa de Jesús:
Libro de las fundaciones

Dashiell Hammett:
Cosecha roja

Pedro Calderón de la Barca:
Tragedias, 1

John Wain:
El mundo vivo de Shakespeare

5 Hermann Hesse:
Bajo las ruedas

5 Sigmund Freud:
La histeria

7 Hans Kellerer:
La estadística en la vida
económica y social

3 Benito Pérez Galdós:
La desheredada

9 Enrique Ruiz García:
El tercer mundo

0 Pío Baroja:
Las ciudades

1 José Luis L. Aranguren:
El marxismo como moral

2 Tennessee Williams:
Piezas cortas

3 Bertolt Brecht:
Poemas y canciones

4 José Martí:
En los Estados Unidos

5 Marcel Proust:
En busca del tiempo perdido, 5

6 Evgueni Evtuchenko:
Entre la ciudad sí y la ciudad no

7 Melchor Fernández-Almagro:
Historia política de la España
contemporánea, 1

8 Dashiell Hammett:
La llave de cristal

9 María de Zayas y Sotomayor:
Novelas ejemplares y amorosas

0 F. Scott Fitzgerald:
A este lado del paraíso

1 Walter Kaufmann:
Hegel

** 112 Lionel Kochan:
Rusia en revolución

113 Benito Pérez Galdós:
Tormento

114 Julio Caro Baroja:
El señor inquisidor
y otras vidas por oficio

** 115 Michelangelo Antonioni:
Blow-up. Las amigas.
El grito. La aventura

116 Bertrand Rusell:
Ensayos filosóficos

** 117 Melchor Fernández-Almagro:
Historia política de la España
contemporánea, 2

118 Sherwood Anderson:
Winesburg, Ohio

119 Karl Marx:
Manuscritos: economía y filosofía

** 120 Melchor Fernández-Almagro:
Historia política de la España
contemporánea, y 3

121 D. Mannix y M. Cowley:
Historia de la trata de negros

122 Fernán Caballero:
Elia

123 Hans Egon Holthusen:
Rainer Maria Rilke

** 124 Mijaíl A. Bulgákov:
El maestro y Margarita

125 Jean Lacouture:
Ho Chi Minh

126 Erskine Caldwell:
A la sombra del campanario

127 Ignacio Aldecoa:
Santa Olaja de acero
y otras historias

128 Antonio Flores:
La sociedad de 1850

129 Stendhal:
Lamiel

** 130 George A. Miller:
Introducción a la psicología

131 Sartre, Heidegger, Jaspers y otros:
Kierkegaard vivo

132 Marcel Proust:
En busca del tiempo perdido, 6

133 Beccaria:
De los delitos y de las penas.

134 E. H. Carr:
Estudios sobre la revolución

135 Ramón J. Sender:
Mr. Witt en el cantón

136 Fernando Chueca Goitia:
Breve historia del urbanismo

137 R. W. Gerard:
La alimentación racional
del hombre

138 Hermann Hesse:
Demian

139 Fernand Braudel:
La historia y las ciencias sociales

140 Carmen Martín Gaite:
El balneario

141 Louis-Ferdinand Céline:
Semmelweis

142 Lope de Vega:
Novelas a Marcia Leonarda

143 Miguel Delibes:
La primavera de Praga

* 144 Ignazio Silone:
Vino y pan

145 Pablo de Azcárate:
La guerra del 98

146 Juan Antonio de Zunzunegui:
Esta oscura desbandada

** 147 Stendhal:
Del amor
Ortega y Gasset:
Amor en Stendhal

148 Robert Escarpit:
La revolución del libro

149 Narrativa cubana de la revolución

150 Azorín:
Política y literatura

151 Iván Pávlov:
Fisiología y psicología

** 152 Pedro Calderón de la Barca:
Tragedias, 2

153 Aguirre, Aranguren, Sacris
y otros:
Cristianos y marxistas

154 Yuri Kazakov:
El mar Blanco

** 155 C. G. Jung:
Los complejos y el inconscie

156 Francisco Ayala:
Muertes de perro

157 Coplas satíricas y dramáticas
de la Edad Media

158 Dashiell Hammett:
El halcón maltés

159 Guillermo Díaz-Plaja:
El oficio de escribir

** 160 Ramón Solís:
El Cádiz de las cortes

161 Ramiro A. Calle:
Teoría y técnica del yoga

162 Sigmund Freud:
El chiste

163 Immanuel Kant:
La religión dentro de los lím
de la mera razón

164 Miguel Delibes:
Viejas historias de Castilla la

** 165 Marcel Proust:
En busca del tiempo perdido,

166 Manuel Halcón:
Recuerdos de Fernando Villal

167 Thomas Mann:
Relato de mi vida

168 José Ferrater Mora:
La filosofía actual

169 Radhakrishnan:
La concepción hindú de la

170 Antonio Alcalá Galiano:
Literatura española del siglo